RÉSONANCES

Collection dirigée par Étienne CALAIS

D1574998

Étude sur

Aimé CÉSAIRE

Cahier d'un retour au pays natal

Discours sur le colonialisme

par Annie URBANIK-RIZK

Ancienne élève de l'E.N.S. de Fontenay-aux-Roses
Agrégée de Lettres modernes
Professeur au lycée de Montivilliers

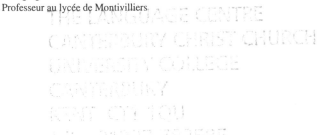

Résonances est une collection nouvelle qui entend, dans un nombre de pages réduit et sous un format original, offrir, sur une œuvre littéraire, l'essentiel des connaissances indispensables et incontournables qui permettent l'approche et, l'étude efficace de l'ouvrage concerné.

Résonances est une collection innovante qui entend inciter les lecteurs, jeunes et moins jeunes, à une lecture attentive et ludique, ouvrir des pistes à explorer, inviter à des rapprochements opportuns.

Résonances est une collection pratique dont l'objectif, dans un premier temps, est de répondre aux besoins des élèves des terminales L (et ES) qui inaugurent, à la rentrée 94, le nouveau programme *Lettres*, programme varié et ambitieux, qui doit redonner aux classes concernées le profil littéraire qui leur manquait partiellement.

Résonances est une collection autonome qui peut être complétée par la série *Analyses & Réflexions* qui, grâce à des articles variés, élargit et diversifie l'approche des textes.

Étienne CALAIS, *agrégé de Lettres modernes, est professeur en lycée et en sections de BTS. Il a été chargé de cours – sciences humaines et techniques d'expression – aux Arts et Métiers. Il a été aussi intervenant dans le réseau SUP TG (groupe ESC Reims) et à l'ENSADE (Beaux Arts) de Reims. Il a rédigé des cours par correspondance – lycée et BTS – pour CUF-Bordas, Éducatel et France-Formation. Il a dirigé et co-produit la série de manuels de français de la collection « Organibac », chez Magnard (8 volumes à ce jour, dont le* Précis de Littérature *française par siècle et par genre, le* Précis de Littérature gréco-latine, *le* Précis des Littératures de la Communauté Européenne). *Il a publié en collaboration avec des professeurs de classes prépa-ratoires* De la méthode *aux éd. Ellipses, ouvrage de culture géné-rale et de philosophie à destination des lycéens de Terminale et des élèves de « Prépas » littéraires et commerciales.*

Dans la même collection

- Étude sur : Shakespeare, *Hamlet*, par Alison Détrie.
- Étude sur : Sophocle, *Œdipe roi*, par Christine Dubarry-Sodini.
- Étude sur : Montaigne, *Essais*, « Des cannibales », « Des coches », par Alain-Gilbert Guéguen.
- Traduction et présentation de : Montaigne, *Essais* , « Des cannibales », « Des coches », par Michel Tarpinian.

© COPYRIGHT 1994

EDITION MARKETING
EDITEUR DES PREPARATIONS
GRANDES ECOLES MEDECINE
32, rue Bargue 75015 PARIS

ISBN 2-7298-4412-0

En 1993, Aimé Césaire a fêté ses quatre-vingts ans... Hum ! Disons qu'on s'est beaucoup employé, ici et là, à les lui fêter – voire, dans un livre récent, à lui « faire sa fête », comme on dit. D'ailleurs, n'existe-t-il pas, entre les tenants d'une poésie exclusivement antillaise et les zélateurs de « Césaire poète de l'universel » une sorte de connivence, une commune satisfaction à voir neutralisée, pétrifiée l'une des œuvres les plus subversives de ce siècle ? Si Césaire n'est certes pas le barde d'une identité frileuse, il n'est pas non plus le porte-parole « universel » d'un monde global, indifférencié. Il a choisi un camp. Et la publication, en février 1994, de son œuvre poétique complète est encore la meilleure réponse, et le plus cinglant démenti que le rebelle puisse apporter à ses détracteurs aussi bien qu'à ses thuriféraires. On y verra que la « négritude » n'a rien perdu de son inactualité, c'est-à-dire de sa féconde intempestivité.

[...] Césaire n'est ni un « père à tuer » ni la statue de quelque Commandeur taillée dans le marbre universel – mais l'initiateur obstiné d'un geste, ce mouvement initial qui encore, encore et maintenant, obstinément... soulève.

Gilles Carpentier, *Scandale de bronze, Lettre à Aimé Césaire.*

L'ŒUVRE ET L'HISTOIRE

LES LUTTES POUR L'ÉMANCIPATION AUX ANTILLES

Le *Cahier d'un retour au pays natal*, aussi bien que le *Discours sur le colonialisme* font partie de ce qu'on a coutume d'appeler la littérature de « décolonisation ». Il est donc capital de bien replacer chacun de ces textes dans le mouvement d'émancipation de la région caraïbe afin de comprendre leur aspect novateur et ce contre quoi ils s'insurgent.

La colonisation et l'ordre esclavagiste XVIᵉ-XIXᵉ (16ᵉ-19ᵉ)

Lors de sa recherche d'une route maritime vers les Indes, Christophe Colomb toucha en 1493 l'île Dominique, les Saintes, la Guadeloupe, Marie-Galante. Quant à la Martinique, on ne sait si le navigateur l'avait reconnue en 1498 ou seulement le 15 juin 1502. Dans les faits, l'île d'Aimé Césaire resta *indépendante* jusqu'en *1626*. Pour les besoins du commerce, les Français avaient installé des ports de ravitaillement depuis le début du XVIIᵉ siècle, dans la plupart des petites Antilles. Mais ce fut Pierre d'Esnambuc en 1626, qui créa la Compagnie des Isles d'Amérique. Du Plessis d'Ossonville et Leynard de l'Olive étaient possesseurs de la Martinique et de la Guadeloupe au nom de la Compagnie. La première de ces deux îles connut très rapidement la prospérité. Dans un premier temps, l'apport de boutures diverses, l'appel à des « engagés », recevant une prime et un lopin de terre à l'expiration d'un contrat de trois ans, suffit au développement. Mais ce fut bien le tristement célèbre « *commerce triangulaire* » qui permit les profits les plus juteux aux Indes Occidentales, et dans les ports français de l'Atlantique aux détriments du véritable bétail humain emmené de force depuis les côtes africaines.

L'équilibre économique reposait donc sur le travail des esclaves et le système des plantations, sur la fluctuation des productions liées aux demandes européennes (tabac, puis café, sucre et banane), et sur une société entièrement clivée.

Quatre classes sociales ont constitué la hiérarchie fixe de ce système colonial : *les grands Blancs, les petits Blancs, les Mulâtres, les Nègres.* Eux-mêmes sont divisés en deux catégories : nègres de culture, méprisés, maltraités et nègres de talent, domestiques, chefs d'ateliers, ouvriers spécialisés. Les Grands Blancs ou créoles étaient des nobles venus de France, des hauts fonctionnaires royaux, et maintiennaient scrupuleusement la pureté de leur sang. Ils méprisaient les Noirs et mulâtres et vivaient en dehors de leur temps. *Les mulâtres*, issus des unions des Petits Blancs et des esclaves, sans être l'équivalent des classes moyennes d'Europe, allaient jouer *le même rôle que la bourgeoisie pendant la révolution de 1789*. Ils seront les meneurs de la lutte contre les Grands Blancs et les hauts fonctionnaires. Cette lutte fut soutenue par les Noirs qui en fournirent les troupes.

L'influence révolutionnaire et l'esprit du XVIIIᵉ (Toussaint Louverture à Saint-Domingue)

Sous la pression de révoltes d'esclaves, de la crise économique et sucrière, des transformations survenues sur le marché de la main-d'œuvre, un processus de destruction du système esclavagiste se déclencha. La guerre d'Indépendance américaine eut de profondes répercussions aux Antilles. Mais c'est surtout la révolution française qui aiguisa l'opposition entre les possesseurs de plantations qui défendaient leurs intérêts dans le Club de l'hôtel Massiac et les défenseurs des esclaves regroupés dans la société des Amis des Noirs. Une période sanglante s'ouvrit alors, malgré une brève accalmie du 28 mars au 10 août 1792, à la faveur du décret accordant aux mulâtres et aux Noirs libres les mêmes droits politiques qu'aux Blancs. Ceux-ci refusèrent d'accepter les conséquences du 10 août 1792 et en profitèrent pour répudier le décret égalitaire du 28 mars. Les mulâtres de Saint-Domingue, aidés par les Noirs et soutenus par les troupes de la métropole, infligèrent une défaite complète à leurs opposants. Le 29 août 1793, la Convention proclama la libération immédiate des esclaves. Grâce au courage de chefs mulâtres, Beauvais, Rigaud et surtout grâce à l'habileté et au génie d'un ancien esclave *Toussaint Louverture, le « Napoléon noir »*, Saint-Domingue finit par vaincre les troupes dépêchées par Napoléon Bonaparte pour rétablir l'esclavage et proclama son indépendance, devenant le 1er janvier 1804, la république d'Haïti. Toussaint Louverture incarne ainsi pour Aimé Césaire le héros de la libération de l'esclavagisme, d'autant plus que pendant ce temps, l'esclavage fut rétabli dans les possessions françaises en 1802 par Napoléon.

L'abolition de l'esclavage : 1848

La reprise en main des Antilles françaises par les armées napoléoniennes s'était faite sur fond de guerre contre l'Angleterre et l'Espagne. Même si Toussaint Louverture avait été fait prisonnier à Haïti, puis emmené en captivité en France, les Français durent tout de même renoncer à leur possession de Saint-Domingue et ceci rendit leur joug plus sévère sur les autres Antilles. Le second traité de Paris du 20 novembre 1815 se prononça en faveur de l'abolition de la traite, laquelle n'en devint pas moins florissante et rémunératrice. La propagande anti-esclavagiste s'affirma prenant appui sur les déclarations pontificales de 1557, 1639, 1741, 1842 et prenant exemple sur l'affranchissement des 800 000 Noirs des possessions britanniques en 1833. Conclusion inéluctable d'un mouvement d'idées, *Victor Schoelcher* réussit à faire publier *le décret du 27 Avril 1848 qui abolit l'esclavage* tout en indemnisant les propriétaires : en 1849, l'Assemblée nationale fixa l'indemnité à 430 francs par tête à la Martinique, 470 à la Guadeloupe. Un extraordinaire mouvement de population se précipita, les Noirs abandonnant les plantations sur lesquelles ils travaillaient pour se réfugier dans les collines, les Mornes, provoquant pour un temps la ruine économique de l'île.

La période post-esclavagiste : 1848-1946

Il y a peu à dire sur les dix-neuf décennies postérieures au décret Victor Schoelcher. Le « statut colonial » a prévalu jusqu'à la IIIe République avec des périodes plus sombres ; parmi celles-ci, celle de la Restauration qui rétablit en principe la situation antérieure à 1789, le second empire pendant lequel Napoléon III s'empressa de retirer le droit de vote des Noirs acquis en 1848. Ce fut *un retour* à peine déguisé *aux pratiques de l'Ancien Régime, l'esclavage en moins*. La situation que connaît Aimé Césaire est celle d'une parcelle de l'Empire Français avec ses contradictions. Le droit républicain est certes étendu aux possessions françaises mais aussi les devoirs comme l'obligation militaire à partir de 1889 et le calque du modèle administratif, politique et culturel de la métropole. La IIIe République étend avec bonne conscience sa mission civilisatrice aux détriments des identités locales. Enfin, dernière période sombre, pendant la seconde guerre mondiale, les Antilles furent vichystes jusqu'en 1943, si bien que les Alliés leur imposèrent un blocus sévère, cause d'une nouvelle ruée vers les collines, semblable à celle de 1848.

Les Antilles, départements français : espoirs et déceptions

Depuis la fin de la guerre, les difficultés économiques consécutives à la pratique d'une monoculture spéculative, au manque de devises et à une véritable explosion démographique ont créé une situation très tendue. À la politique coloniale d'antan a succédé *une politique d'assimilation* mise en place par la loi du 19 mars 1946 à laquelle ont succédé les décrets du 1er Janvier 1948. Les espoirs d'une indépendance totale s'étant estompés, les déceptions autant politiques qu'économiques de la départementalisation demeurent vives. C'est dans ce contexte qu'intervient Aimé Césaire, député de Fort-de-France à qui on reprochera plus d'un compromis, malgré la virulence de ses discours de révolte.

L'ŒUVRE ET L'HISTOIRE DES IDÉES, DES ARTS, DES MOUVEMENTS

Bien que le texte du *Cahier d'un retour au pays natal* suggère par le terme de « cahier » une écriture libre qui épouse au jour le jour les réflexions portant sur l'expérience personnelle, sur les retrouvailles de la Martinique au cours de l'été 1936, par exemple, on ne saurait comprendre la portée de ces évocations sans ancrer l'œuvre dans les turbulences de l'histoire, des luttes, et des courants artistiques. Qui plus est, le *Discours sur le colonialisme* est par définition inscrit au cœur des déchirements coloniaux et des tensions résultant de la partition entre l'Est et l'Ouest de l'après-guerre.

Les circonstances historiques

Certes, le *Cahier* ne suggère que de façon lointaine la chronologie historique, perçue à travers un regard subjectif ou transformée en un temps mythique. Le passé et le présent se confondent en la figure symbolique de « la négritude debout », incarnée par le personnage de Toussaint Louverture, l'esclave chef de la révolte des Noirs à Saint-Domingue sous la première république et condamné par Bonaparte. Aimé Césaire fustige plutôt ici l'image du Noir soumis et dépossédé de son propre être par le modèle obsédant du républicain blanc de la métropole. En 1939, aux Antilles, les oppositions politiques qui secouent la France d'entre les deux guerres, la venue du Front populaire, la montée des périls, Münich, tout ceci ne transperce qu'à travers la torpeur moite d'une société néo-coloniale prête aux compromis.

Quant au *Discours*, il s'inscrit dans le mouvement de décolonisation d'après-guerre marqué par la conférence de Brazzaville en 1944, annonciatrice de l'indépendance de l'Afrique et par les rébellions d'Algérie en 1945, d'Indochine, de Madagascar en 1947.

Les circonstances artistiques

Il importe de distinguer les habitudes d'écriture des Caraïbes de celles de la métropole européenne.

La littérature antillaise qui hante Césaire comme un repoussoir, quand il arrive à Paris, est entièrement faite de l'imitation servile du modèle français du Parnasse. Les écrivains des colonies antillaises, afin de présenter une respectabilité comparable à celle des Blancs de la métropole empruntent le regard touristique et dévalorisant sur leurs propres terres, devenues objet d'intérêt d'un strict point de vue exotique au sens superficiel du terme, sans la nuance méliorative que leurs prédécesseurs romantiques lui avaient donnée... C'est ce qu'on appelle le « doudouisme » d'après le nom donné aux belles doudous, déjà chantées par Baudelaire.

En revanche, un certain nombre d'écrivains antillais ou africains laissent apparaître les prémices d'une littérature « nègre », souvent effervescente à Paris. Ainsi, en 1931, le Dr Sajou, haïtien, et un certain nombre de femmes, si peu présentes dans les anthologies de littérature, les martiniquaises Paulette et Andrée Nardal, Suzanne Césaire, Simone Yoyo fondent la *Revue du Monde noir*. Mais Aimé Césaire préfère en 1932, *Légitime défense* qui remplace la première, jugée trop bourgeoise et conformiste. Étienne Léro, Jules Monnerot, René Ménil essaient d'y associer l'esprit de révolte esthétique des surréalistes et l'objectif révolutionnaire du parti communiste. Finalement, Aimé Césaire, qui juge sévèrement l'aspect trop universel de la revue, fonde avec *Senghor* et Léon-Gontran *Damas L'étudiant Noir* en 1935, qui met en avant la négritude et la lutte contre le racisme. Quelques romans avaient en effet préparé ce renouveau, qui critiquaient l'exotisme facile et la colonisation : *Batouala* de René Maran (prix Goncourt en 1921), les œuvres des *écrivains noirs américains comme Laugston Hughes, Alan Locke, Countee Cullen et Claude Mac kay* et bien sûr, publié en 1937, *Pigments* de Léon-Gontran Damas, le condisciple de Césaire.

De manière générale, dès le début du siècle il faut signaler l'importance accordée à l'art nègre par les *cubistes* qui s'inspirent des masques africains pour représenter le visage humain, et par des poètes comme Apollinaire ou Cendrars.

Enfin, le mouvement *surréaliste* dans sa phase triomphante au moment où Césaire rejoint la capitale parisienne prépare une critique acerbe de l'Occident et du colonialisme. Il pose bien les contradictions du poète engagé : d'une part l'absolue liberté requise par l'esthétique, d'autre part la nécessité d'une affiliation pour changer l'ordre des choses.

Les circonstances idéologiques

Par ailleurs, on peut également souligner l'influence déterminante de courants de pensée comme celui de l'ethnologue allemand *Frobenius*, traduit en français en 1936 (*Histoire de la civilisation africaine*), où Césaire puise la justification d'une poétique et d'une authenticité africaines opposée à l'abstraction européenne, ainsi que celle de *Maurice Delafosse* dans *Les Nègres* qui présente la richesse de la culture africaine. Le théologien *Teilhard de Chardin* peut lui aussi, toutes proportions gardées, être considéré en harmonie avec la conception de Césaire, même si Senghor en parle plus volontiers. Comme lui, il met en valeur l'union profonde qui lie l'homme et la nature. Enfin, l'influence du *marxisme* est indéniable pour les deux textes, autant sous son aspect théorique que par le contexte d'effervescence politique contemporain à Césaire.

QUI EST CÉSAIRE ?

Le natif des Antilles 1913-1931

Aimé Césaire, considéré comme le « chaman » en son pays, le père spirituel de l'émancipation coloniale aux Antilles est né à Basse-Pointe, au nord de la Martinique le 26 juin 1913, dans « […] une maison minuscule qui abrite en ses entrailles de bois pourri des dizaines de rats et la turbulence de mes six frères et sœurs, une petite maison cruelle […] » *(Cahier)*. Par son grand-père, enseignant, et son père, inspecteur des contributions, Aimé appartient à la petite bourgeoisie des fonctionnaires noirs. Mais il est particulièrement fier d'un lointain ancêtre ayant participé aux luttes politiques et raciales, à l'époque de la monarchie de Juillet, en 1833, et qui fut condamné à mort. De plus, son père lui enseigne le goût de la poésie, de Victor Hugo par exemple, et de l'esprit voltairien.

Il suit les cours du lycée Victor Schoelcher à Fort-de-France, et réussit en 1931 le baccalauréat et le concours des bourses. Muni d'une recommandation de son professeur É. Revert, il décide de s'embarquer pour la France afin de préparer le concours de l'École Normale Supérieure au lycée Louis-le-Grand. Son état d'esprit est celui de Rimbaud quittant Charleville. Il confie dans un entretien au *Nouvel Observateur*[1] :

> En 1931, quand j'ai pris le bateau pour suivre mon hypokhâgne au lycée Louis-le-Grand, j'avais ressenti le besoin urgent de m'échapper. J'étouffais dans la petite société coloniale qu'était la Martinique avec ses mesquineries, ses ragots, ses préjugés et sa hiérarchisation en classes et en races. Bref, je m'y emmerdais profondément […]. J'avais une soif immense de savoir. Il me fallait apprendre. C'était cela ou le champ de canne.

---

1   *Le Nouvel Observateur*, 16-23 juin 1993.

L'étudiant parisien « nègre », 1931-1934

Cette période est pour Aimé une révélation à tous points de vue. Il a pour professeurs A. Bayet en français, et L. Lavelle en philosophie. Il découvre le surréalisme, Rimbaud, Lautréamont, les romantiques allemands. Mais c'est surtout la rencontre d'étudiants africains qui vont le marquer profondément. D'abord, le sénégalais *Ousmane Socé*, qui devait être l'auteur d'un des premiers romans africains – *Karim, roman sénégalais* (1935) – et ensuite Senghor, qui devint l'ami de toujours.

> En découvrant Senghor, j'ai découvert l'Afrique. Ce fut pour moi une révélation. Ensemble, nous lisions, nous réfléchissions. Nous étions hantés par les mêmes questions, mais au cours de nos études, jamais nous ne perdions de vue ces questions fondamentales. Nous cherchions éperdument dans les livres des armes pour notre combat. Montesquieu, Rousseau, Hegel, Marx... tout nous servait. Je découvrais par exemple, cette citation de Hegel : « Il ne faut pas opposer la singularité à l'universalité » et aussitôt, je m'écriais : « Tu as compris, Léopold, plus nous serons nègres, plus nous serons universels ». Senghor dit que c'est moi qui ai inventé le mot de « négritude ». Ce n'est pas vrai. Peut-être l'ai-je écrit le premier, mais en fait, il est le fruit d'une création collective. (*Ibid.*)

Le chantre de la négritude : révolte et méditation : 1934-1939

En 1934, il fonde avec Senghor et le guyanais L. Damas une petite revue *L'étudiant Noir*, rassemblant Antillais et Africains dans une quête orphique* des richesses passées, et une lutte contre la politique et la culture françaises, arbitrairement imposées aux colonies.

En 1935, il entre à l'École Normale Supérieure de la rue d'Ulm et connaît une grave crise physique et morale, vivant à l'hôtel dans des conditions précaires, cessant alors sa vie publique, se repliant sur la cellule privée. A-t-il, comme certains semblent le suggérer, connu une crise spirituelle, mystique, proche de la folie ? Si l'hypothèse s'avérait juste, la portée du *Cahier* s'en trouverait transformée, et le texte serait issu d'une méditation spirituelle autant que politique.

Pendant l'été 1936, Césaire retourne pour la première fois au « pays », à la Martinique pour y passer ses vacances. Mais c'est à l'E.N.S., puis en

---

*   Les astérisques renvoient à un glossaire situé en fin d'ouvrage (p. 62).

Yougoslavie, chez son ami Petar Gubarina que Césaire compose le *Cahier d'un retour au pays natal.* En 1937, il se marie avec Suzanne Roussy, une jeune étudiante martiniquaise.

Le professeur de Fort-de-France, la guerre : 1939-1945

De retour à la Martinique en 1939, il publie avec sa femme, la revue *Tropiques,* qu'il anime avec René Ménil, Aristide Maugée, Gilbert Gratiant… La poésie, et particulièrement les méthodes surréalistes, y sont présentées comme « les armes miraculeuses » contre l'aliénation du poète et de son peuple. Il enseigne, aux côtés de sa femme au lycée Victor Schoelcher où il avait lui-même fait ses études et impressionne des généra-tions d'élèves à qui il fait découvrir Rimbaud, Lautréamont, les surréalistes.

Pendant la guerre, sous le gouvernement de Vichy, Césaire et ses amis seront gaullistes et défendront l'honneur de la France contre une adminis-tration coloniale rendue plus insupportable par la dictature policière. Du reste, Césaire et sa femme faillirent être mis à pied à cause de leur attitude frondeuse, et ce fut une demande des élèves et de leurs parents qui les maintint en place.

En 1944, il séjourne à Haïti pendant six mois, pour une tournée de conférences, dont il tirera son essai historique sur Toussaint Louverture (paru en 1961).

> Un livre pour lequel j'ai une tendresse particulière, c'est mon étude sur Toussaint Louverture, la révolution française et le problème colonial. Je l'ai écrit avec beaucoup d'humilité, presque pour moi-même. Il me fallait comprendre l'histoire de la révolution française aux Antilles car j'étais perdu dans ce fatras d'événements et de faits contradictoires. Ce livre m'a aidé à y voir clair. *(Ibid.)*

Le député communiste : 1945-1956

À la libération, le parti communiste lui demande de figurer sur les listes électorales. Malgré la méfiance des sympathisants du surréalisme pour les partis, il accepte, considérant l'engagement comme un devoir et il est élu maire de Fort-de-France, puis député du parti communiste. Son rôle est déterminant pour le vote de « territorialisation » des Antilles, qui deviennent départements français. Et cela lui sera reproché plus tard. Aux côtés d'Alioune Diop, Paul Niger, Guy Tirolien, il participe à la fondation des éditions Présence Africaine, avec le soutien de Gide, Leiris, Camus. Il s'agit d'aider « à définir l'originalité africaine et de hâter son insertion dans le monde moderne ».

La rupture avec le P.C.F. et l'évolution politique : 1956-1994

La période de l'après-guerre fut une longue suite de déceptions pour Césaire : les élus martiniquais n'ont aucun pouvoir de décision, l'assimilation est donc une trahison, la décolonisation est très violente en Afrique et le parti communiste soviétique n'accepte aucun particularisme. Il a déjà exprimé sa fureur avec violence dans le *Discours sur le colonialisme* publié en 1950 aux éditions Réclame. Les événements de Hongrie de 1956 s'ajoutent aux excès du stalinisme et le conduisent à démissionner. Dans sa *Lettre à Maurice Thorez*[1], il précise :

> Que la doctrine et le mouvement soient faits pour les hommes et non les hommes pour la doctrine et le mouvement.

Lorsqu'on l'interroge pour savoir si cette rupture a été douloureuse, il répond :

> J'étais délivré. J'avais rompu avec les communistes, j'étais un nègre fondamental. J'ai eu droit à toutes les insultes, mais je suis resté indifférent[2].

En 1957, il fonde le parti progressiste martiniquais, mais adopte une position contradictoire au moment du Référendum de 1958.

C'est à partir des années 1960 qu'il consacre son œuvre littéraire au théâtre. En 1988, il inscrit son parti dans la majorité présidentielle, après la réélection de François Miterrand. En 1993, il décide de ne plus se présenter aux élections législatives.

> Je suis contre toutes les formes d'aristocratie, y compris celles de l'âge, quand elle a pour nom gérontocratie* […]. Je suis sorti de la politique comme j'y étais entré, avec innocence[3].

1 CÉSAIRE A., *Lettre à Maurice Thorez*, Présence Africaine, 1956.
2 *Le Nouvel Observateur*, op. cit.
3 *Le Nouvel Observateur*, op. cit.

RÉCAPITULATION DES ŒUVRES D'AIMÉ CÉSAIRE

Une œuvre en trois volets :

Textes poétiques

Cahier d'un retour au pays natal, poème, 1939, 1947, 1956.
Les Armes miraculeuses, poèmes, Gallimard, 1946.
Soleil cou coupé, poèmes, Éditions K, 1948.
Corps perdu, poèmes (illustrations de Picasso), Fragrance, 1949.
Ferrements, poèmes, Le Seuil, 1960.
Cadastre, poèmes, Le Seuil, 1961.

Essais

Discours sur le colonialisme, Présence Africaine, 1955.
Lettre à Maurice Thorez, Présence Africaine, 1956.
Toussaint Louverture, étude historique, Présence Africaine, 1962.

Théâtre

Et les chiens se taisaient, version théâtrale, Présence Africaine, 1956.
La tragédie du roi Christophe, théâtre, Présence Africaine, 1963.
Une saison au Congo, théâtre, Le Seuil, 1967.
Une tempête, théâtre, Le Seuil, 1969.

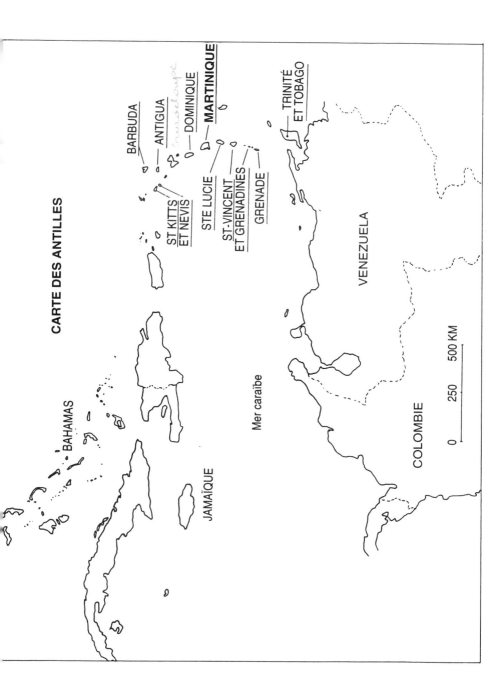

CARTE DES ANTILLES

BAHAMAS

JAMAÏQUE

Mer caraïbe

BARBUDA

ANTIGUA

Guadeloupe

DOMINIQUE

MARTINIQUE

ST KITTS
ET NEVIS

STE LUCIE

ST-VINCENT
ET GRENADINES

GRENADE

TRINITÉ
ET TOBAGO

VENEZUELA

COLOMBIE

0   250   500 KM

GENÈSE DE L'ŒUVRE

CAHIER D'UN RETOUR AU PAYS NATAL[1]

D'ordinaire, on associe la gestation du *Cahier* à la prise de conscience du jeune normalien de 1936 de sa condition de noir, rendue plus vive par des vacances d'été au pays. Or, ce qu'on a coutume d'appeler « le cri du normalien nègre » est le fruit d'une difficile maturation, voire d'une crise personnelle. La rédaction du *Cahier* s'échelonne de 1936 à1939, et exprime après un long silence, une affirmation d'être. Dans un premier temps, on peut parler de « *crise mystique* » pendant laquelle Césaire parcourt assidûment les textes de la Bible, les prophètes en particulier. On peut également parler de « *crise poétique* » puisqu'il l'affirme lui-même dans sa conférence de presse au Québec, il voulait « tourner le dos à la poésie » et déchira des poèmes écrits en 1934-35, rédigés selon le modèle traditionnel. Mais l'événement décisif fut bien le retour à la Martinique au cours de l'été 1936, en ce qu'il apporta un regard mûri sur la situation sociale de l'île, sans aucune complaisance pour les compromissions de ses habitants. Mais également, il permit une visée introspective, faite d'une interrogation sur le devenir du jeune Aimé, celui d'avant et d'après l'expérience de la métropole. Les souvenirs d'enfance, mêlés aux réflexions satiriques viennent de cette volonté de jugement critique et synthétique sur toutes choses. Ce n'est que de retour en France, à l'E.N.S., puis en Yougoslavie, chez un ami, Petar Gubarina, puis enfin à la cité universitaire que Césaire rédige le *Cahier*. On raconte même qu'en visite chez les parents de Guberina en Yougoslavie, il remarqua l'île de Martinska, au large de l'Adriatique qu'il associa peut-être à l'île natale et dont partit la rédaction du *Cahier*. Il en lira des extraits à Senghor et à Damas, mais après avoir été refusé par un éditeur en 1937-38, le poème est découvert par hasard, par son professeur Petitbon, qui le soumettra à Georges Pelorson, directeur de la revue *Volontés*.

---

1 Édition utilisée : Présence Africaine, coll. « Poésie », 1983.

On peut supposer que l'atmosphère effervescente des milieux intellectuels parisiens d'avant-guerre, le Front populaire et ses oppositions ont rendu au texte sa facture politique, la révolte qui fut source du concept de « négritude ».

Les différents états du texte

Les circonstances historiques sont à l'origine d'une parution en plusieurs temps. C'est dans la revue *Volontés* que le *Cahier* paraît pour la première fois, grâce à l'intervention de Léon-Gontran Damas auprès de Georges Pelorson. Des extraits en sont publiés dans la revue *Tropiques* fondée en 1941 à Fort-de-France, dédiés à André Breton. Puis, du fait de la guerre, les premières éditions en volume paraissent en traduction aux *États-Unis, aux éditions Brentano's* en 1947, et en 1943, à Cuba en version espagnole. *En France, les éditions Bordas* le publient en 1947, préfacé par Breton. Aimé Césaire qui a créé la maison d'édition *Présence Africaine* aux côtés de Sartre, Gide, Leiris y propose une dernière édition en 1956, devenue bilingue en 1971. Enfin, *à la Martinique, les éditions Desormeaux,* avec une préface de Michel Leiris, publient les œuvres complètes, en 1976, en attendant celles de 1994.

Que retenir des variantes successives qui jalonnent ce parcours ? Césaire rassemble de plus en plus son texte qui vise à l'unité et ne fait que de légères additions, sans transformer le fond de l'œuvre.

DISCOURS SUR LE COLONIALISME[1]

Curieusement, le texte du *Cahier* que Césaire voulait définitif coïncide avec la date du *Discours*. C'est dire la permanence de préoccupations concernant la situation du colonisé et la relation étroite qui unit l'écriture poétique et l'invective politique. De plus, l'un et l'autre textes, à des degrés divers, ne font référence à aucun genre canonique* et donnent l'allure d'écrits circonstanciels, mus par l'événement et la libre association. Le terme de « cahier » implique en effet, un journal, des notes éparses et informelles, tandis que le *Discours* prend forcément la forme d'une invec-

---

1   Édition utilisée : Présence Africaine, 1973.

tive à caractère polémique*, outrée et orale. La genèse du *Discours* est donc de deux ordres : d'une part, *d'ordre théorique* en ce qu'il a été précédé par des mouvements d'idées hostiles au colonialisme, d'autre part, il est lié à l'*engagement personnel* d'Aimé Césaire comme député de Fort-de-France. Mais considérons plus précisément les différentes étapes de l'écriture du *Discours* :

– Il faut se souvenir qu'il a été rédigé à la fin de la seconde guerre mondiale, après une accumulation de frustrations et de colères rentrées. Après 1947, en effet, en France, la droite revient au pouvoir et c'en est fini de l'alliance des gaullistes et des communistes contre l'ennemi nazi. La départementalisation aux Antilles fait l'objet de critiques contre Césaire et il en perçoit le bien-fondé, lorsqu'au Palais Bourbon, les députés adoptent une attitude paternaliste. Enfin, les mouvements nationalistes de l'Union française sont réprimés dans le sang. Ces massacres montrent la mauvaise grâce de la France face à ses colonies, dont elle veut conserver tous les avantages économiques sans accorder de contreparties politiques, ni même de revalorisation culturelle.

– C'est dans la revue *Chemins du monde*, sous le titre « L'impossible contact » que Césaire, invité à exprimer son opinion sur l'Union française rédige pour la première fois, en 1948, ce qui deviendra l'essentiel du *Discours*. Y figurent déjà, en particulier, les grandes comparaisons entre le nazisme et le colonialisme (pages 7 à 24 de la première édition).

Mais ce n'est qu'en 1950 que paraît pour la première fois le texte, qui tient plus du *pamphlet** que du discours réellement prononcé, aux éditions Réclame, 1950. Un extrait en sera repris dans *L'Humanité* en été 1950, ainsi qu'à plusieurs reprises, dans *Justice* en 1950 et 1951.

La deuxième édition date de 1955 aux éditions Présence Africaine, édition revue et augmentée. Des extraits en sont parus dans *L'étudiant d'Afrique noire,* en 1956. Les ajouts concernent pages 17 à 20, la conquête de l'Algérie ; page 40, la note sur l'étude de Cheik Anta Diop ; pages 56 à 66, la controverse à propos de l'attaque de Roger Caillois contre l'idée de relativité culturelle.

En revanche, on peut mentionner l'activité législative de Césaire au Palais Bourbon, particulièrement intense en 1950, comme faisant partie d'une « *humeur polémique** ». Ainsi, Césaire prend souvent la parole à l'Assemblée en 1950 pour critiquer la façon dont la départementalisation est appliquée à la Martinique, les lois d'exception qui limitent la liberté d'expression dans les pays de l'Union française, et menacent par ricochet les acquis des D.O.M. Le plus souvent, on lui répond de façon insultante. Ses interventions se font de plus en plus rares au fil des années ; est-ce un signe de découragement ? Il n'en demeure pas moins que la participation de Césaire à la vie politique va demeurer active jusqu'en 1993, et qu'il reste un modèle incontournable.

VISION PANORAMIQUE DU
CAHIER D'UN RETOUR AU PAYS NATAL

Proposer un « découpage » du texte est une gageure puisqu'au cours des versions successives, Césaire a pris soin de lui restituer son unité formelle en rassemblant les différentes séquences. Il faut donc essentiellement parler d'*itinéraire* au sens biographique, mais aussi littéraire du terme. Le poète évoque des impressions personnelles, nées des retrouvailles avec la terre de son enfance qui lui font à la fois mieux prendre conscience de ses propres transformations, mais également le rendent plus lucide sur la pauvreté de l'île, l'attitude de soumission scandaleuse des Noirs, et la modeste condition de sa famille. Il s'agit bien d'un itinéraire spirituel et existentiel, de redéfinition de soi-même et d'autrui.

De plus, bien que libre dans son écriture, le *Cahier* reprend la tradition littéraire des *réflexions du voyageur*, celle d'un Baudelaire, d'un Saint-John Perse, d'un Lautréamont, en la pervertissant. Enfin, seule la *scansion** *rythmique* du poème permet de comprendre *sa structure lyrique*, qui est son véritable mouvement. Le fil d'Ariane est bien l'expression « Au bout du petit matin » inaugurale au texte et à chaque paragraphe, reprise souvent par groupe de six ensembles successifs, abandonnée puis retrouvée, enfin transformée comme en une composition musicale, sous la forme « Tiède petit matin de chaleur » (p. 44), « Tiède petit matin de vertus ancestrales » (p. 48), « Au bout de ce petit matin» (p. 51). Des litanies secondes, puis tierces, viennent s'entrecroiser à cette forme mélodique à plusieurs motifs ; ainsi, « Dans cette ville inerte », « Sur ce rêve ancien » repris plusieurs fois. Le mouvement essentiel du texte, lié à sa structure musicale est la figure de l'*amplification* assurée à la fois par le retour des formules incantatoires* et par le sens du cri de révolte et de haine, mué en affirmation triomphante.

C'est pourquoi, par souci de clarté, la plupart des critiques mettent en évidence des moments séparés du texte, qui rendent compte de phases arbitrairement séparées d'un long chant fluide. Certains distinguent trois moments :

1) la phase de haine (« […] je déteste les larbins de l'ordre » (p. 7)) ;

2) la phase d'introspection et de souvenirs d'enfance ;

3) la révolte raciale et politique.

Certains autres y reconnaissent des styles distincts :

1) le prosaïsme qui scande la désespérance du retour ;

2) une série plus métaphorique, une houle d'images, tantôt en prose, tantôt satiriques correspondant à la conscience du poète ;

3) l'espoir exprimé par un hymne où l'on a cru entendre les battements du tam-tam[1]. Mais il est cependant parfois fait allusion à une bipartition de l'œuvre, qui va du désespoir à l'espoir, du refus de la soumission à l'affirmation d'une négritude triomphante, d'une image avilie des Antilles à une assomption* positive de soi[2].

La Malédiction

Évocation globale de l'île et de la ville (p. 7- 9).

Gros plan sur les habitants, la foule (p. 9), le morne (p. 10-11), la pourriture coloniale (p. 12).

Retour à l'enfance : la case (p. 13), Noël (p. 14-16), la machine à coudre de la mère (p. 18), la rue Paille (p. 19).

L'aspiration au départ et l'élargissement visionnaire : « Partir » (p. 20-22).

La négritude debout, les révoltes passées des Caraïbes (p. 24, 25) ; la haine de la raison (p. 27), le cri de haine anti-esclavagiste (p. 28-33), l'anti-exotisme et le retour à la mémoire (p. 35-38), les figures poétiques de la négritude humiliée (p. 38-43). Le nègre du tramway.

Le chant d'un nouveau monde

Tiède petit matin de chaleur (p. 44). Renaissance et orgueil (p. 44-45). Une négritude triomphante (p. 46-50). Évocation poétique et prière.

---

1   Voir l'étude du *Cahier* pat Maryse CONDÉ chez Hatier.

2   Voir l'analyse du *Cahier* par Dominique COMBE aux éditions PUF.

« L'arbre de nos mains », « le lambi de la bonne nouvelle » (p. 50-52),
symboles d'une Martinique libre et d'une négritude héroïque et virile.
Incantation poétique des îles (p. 54).
Apaisement final, fin de la vieille négritude (p. 56-60), danses et transes de
« la négraille debout et libre » (p. 60-64).

STRUCTURE DU *DISCOURS SUR LE COLONIALISME*

Contrairement au *Cahier,* le genre du discours suppose une organisa-
tion rationnelle en arguments qui suivent la trame d'un développement, lié
aux événements historiques auxquels il se réfère. De plus, sur le plan visuel
et formel, chaque moment est nettement marqué en ensembles séparés, au
nombre de six.

1) L'introduction du « Discours » : Interrogeant la notion de
« civilisation », Césaire fait le procès du décadentisme de l'Occident, et
plus particulièrement de l'Europe. Le colonialisme est indéfendable et
l'oppression du prolétariat est associée à celle des colonisés (p. 7-10).

2) Le colonialisme et le nazisme sont les deux formes d'une même
barbarie. Au lieu de mener les différents pays colonisés vers le progrès et la
démocratie, l'Europe n'a fait que tuer des sociétés fraternelles et brillantes
(p. 11-23).

3) La barbarie européenne n'a d'égale que la barbarie américaine :
Césaire s'insurge contre les massacres à Madagascar et la répression en
Indochine. Le cynisme du bourgeois occidental est pire que la violence
nazie, car plus insidieux (p. 24-31).

*4) Analyse de la bonne conscience bourgeoise et républicaine qui jus-
tifie le colonialisme en théorie.* Le ton se fait à la fois plus polémique et
plus conceptuel. Même la psychanalyse, agrémentée d'existentialisme en
prend pour son grade. Note ajoutée en 1955, sur l'étude de Cheik Anta
Diop (p. 31-44).

*5) Hommage rendu aux grandes consciences poétiques et politiques
du XIXe*, Baudelaire, Lautréamont, Balzac qui ont su critiquer le capitalisme sous la métaphore du monstre (p. 44-47). Dénonciation de la
« déshumanisation progressive » de la société d'après-guerre. Attaque
détaillée contre Roger Caillois et son sens de la supériorité de la civilisation

blanche. Allusions aux massacres en Algérie (p. 47-55). Le seul véritable humanisme est à la mesure du monde.

6) Conclusion : À la façon d'une péroraison*, Césaire achève son raisonnement sur l'idée de la fin de tout empire et annonce le déclin de l'Europe, concomitant aux luttes pour la décolonisation. Il met en garde contre le nouvel impérialisme américain, et sa forme plus insidieuse d'exploitation du prolétariat. Appel à la Révolution, et affirmation qu'il n'existe qu'un seul universel : le prolétariat.

IMPACT DES DEUX ŒUVRES

Cahier d'un retour au pays natal

En France

Dans un premier temps, la publication du *Cahier* dans la revue *Volontés*, de surcroît à la veille de la guerre passe plutôt inaperçue en France. En revanche, c'est aux États-Unis et dans les Caraïbes espagnoles que Césaire se fait d'abord apprécier.

Puis, par hasard, *André Breton* découvre le texte en achetant du ruban pour sa fille chez une mercière à la Martinique. Il écrit son enthousiasme dans la préface devenue célèbre et qui se trouve dans l'actuelle édition de Présence Africaine. C'est essentiellement le *lyrisme* de l'œuvre, ainsi que *sa facture surréaliste* qu'il reconnaît d'emblée, même si, d'une part, l'absence d'automatisme de l'écriture, d'autre part, la présence d'un sujet (l'affirmation d'une négritude debout) constituent des différences avec sa propre esthétique. Plus tard, un autre surréaliste, *Benjamin Péret* le saluera comme un grand poète, dans un texte repris par la revue *Tropiques* en février 1943. C'est encore le long chant de colère indignée qui séduit Péret plus que la diatribe* sur la condition des Noirs.

En revanche, dans sa préface à *L'Anthologie de la poésie nègre et malgache,* publiée par Senghor en 1948, « Orphée noir », *Sartre* salue avant tout Césaire comme le premier grand chantre de la négritude, qu'il définit selon lui comme un poète engagé, même s'il le rattache également au surréalisme sur le plan formel :

> Il expulse l'âme noire hors de lui au moment où d'autres tentent de l'intérioriser…

Césaire est pour lui, Orphée à la recherche de son Eurydice, la négritude.

Enfin, *Michel Leiris*, ethnologue et ami de Césaire, met en avant la notion de « racines », ainsi que les tensions posées par l'usage de la langue française et du désir de s'africaniser (« Qui est Aimé Césaire ? », *in Brisées,* Mercure de France, 1966).

Depuis, on peut dire que c'est d'abord le *Cahier* qui a fait connaître Césaire parmi le grand public, même si ce sont souvent de simples extraits, étudiés au hasard des études littéraires. En 1989, le festival d'Avignon, a longuement mis en scène Césaire, et la Comédie française a représenté *La tragédie du roi Christophe,* en 1990.

À l'étranger

Le succès du *Cahier* est beaucoup plus immédiat et divers, aussi bien en Afrique et aux Antilles, où il est la référence obligée et saluée, qu'aux États-Unis davantage portés sur les études afro-américaines que l'Europe. Enfin, le Canada a longtemps jugé l'écrivain comme un modèle de dépassement et de prise de conscience face à une double culture.

Discours sur le colonialisme

La version originale du *Discours* est pratiquement passée inaperçue en métropole, en 1950 du moins. Même le parti communiste ne lui accorde pas l'importance qu'on aurait pu escompter, malgré la publication de certains extraits dans le journal *L'Humanité*. En revanche, en 1955, Yves Florenne qualifie l'écrivain de « raciste » dans un article du *Monde* du 25 avril 1956.

Finalement, le texte est reconnu, plus tard, comme le modèle du pamphlet* anti-colonialiste, pour ses arguments et ses invectives.

En fin de siècle, le *Discours* est jugé comme un document incontournable de la période de décolonisation de l'après-guerre, qui montre les atermoiements de la IVe République devant le désir de liberté de son empire. Mais il est aussi lu en relation avec les textes poétiques concernant la négritude, comme le montre l'objet de cette étude !

POUR COMPRENDRE AIMÉ CÉSAIRE

LA POÉSIE DU CRI

Le *Cahier,* tout autant que le *Discours,* se caractérise par son oralité, évidente à une première lecture, incomplète sans la voix du récitant ou du polémiste*, pour dénoncer, se lamenter, affirmer haut et fort la dignité retrouvée. Le message didactique s'accompagne d'une véritable rhétorique, qui fait du cri, l'articulation expressive d'une souffrance, et non un simple hululement répétitif. Le cri est en outre une malédiction portée contre les Blancs exploiteurs, mais aussi contre les Noirs trop soumis. L'anathème* anti-colonialiste se double d'une dénonciation des « peaux-noirs, masques blancs[1] »…

La rhétorique d'un discours didactique

L'oralité du *Cahier* est perceptible dès les premières lignes, avec la série d'insultes, d'invectives à l'égard des figures d'autorité coloniale de l'île retrouvée :

> Va-t-en, lui disais-je, gueule de flic, gueule de vache, va-t-en je
> déteste les larbins de l'ordre et les hannetons de l'espérance.
> (p. 7)

Outre le registre sémantique de la quotidienneté, le style direct qui met en scène un « je » adressé à la cantonade, le poème commence en une parole destinée à choquer le lecteur, à le tirer de son sommeil de bien-pensant et de sa grisaille. Mais cette parole se fait véritable palabre africaine, celle que l'on prononce, en Afrique de longues heures sous l'arbre… à palabres, et qui s'envole en évocations magiques.

---

1 Expression reprise de l'ouvrage *Peau noire, masques blancs* de F. FANON (Seuil, 1952), qui désigne l'attitude de compromis avec l'Occident.

> J'entendais monter de l'autre côté du désastre, un fleuve de tour-
> terelles et de trèfles de la savane que je porte toujours dans mes
> profondeurs. *(Ibid.)*

Tout le poème, par la suite, fait référence à un « dire » : « je déclare mes crimes et qu'il n'y a rien à dire pour ma défense. » (p. 29), « Je dis que cela est bien ainsi » (p. 43). Mais ce dire se métamorphose en un cri qui devient chant :

> Et dans cette ville inerte, cette foule *criarde*[1] si étonnamment
> passée à côté de son *cri* […] à côté de son vrai *cri*, le seul qu'on
> eût voulu l'entendre *crier* ; parce qu'on le sent habiter en elle
> […] cette foule à côté de son *cri* de faim. (p. 9)

> Gonflements de nuit aux quatre coins de ce petit matin […]
> *cris* debout de terre muette
> la splendeur de ce sang n'éclatera-t-elle point ?
> (p. 26)

L'amplification rythmique transforme ces sonorités en un chant comme le montre la formule suivante :

> Nous dirions. Chanterions. Hurlerions.
> Voix pleine, voix large, tu serais notre bien, notre pointe en
> avant.
> (p. 27)

Par ailleurs, la poésie orale du *Cahier* est inséparable d'une rhétorique de l'interlocution. Un « je » s'adresse à un destinataire, avec toute la présence émotive et persuasive du discours didactique*, qui cherche à l'emporter par tous les moyens. Qui sont les interlocuteurs de Césaire ? Parfois lui-même : « Et je *me* dis Bordeaux et Nantes […] » (p. 24), mais souvent les Noirs martiniquais, à la fois mis en scènes et apostrophés.

> Je viendrais à ce pays mien et je lui dirais : « Embrassez-moi
> sans crainte… Et si je ne sais que parler, c'est pour vous que je
> parlerai ». (p. 22)

Inversement, le *Discours sur le colonialisme* vise les européens blancs, même si les contenus polémiques* des deux discours peuvent être comparés. Qui a entendu Antoine Vitez prononcer le *Discours* devant des élèves « blacks, blancs ou beurs » comprend l'émotion qui se transmet par la voix du récitant (cf. *Le Monde des Livres*, 11 mars 1994). C'est pourquoi, il n'est pas étonnant de lire pareillement, au cœur du *Cahier,* l'adresse à un

---

1   Tous les mots et expressions qui apparaissent en italiques dans les citations sont soulignés par nous.

« tu » transformée en un « nous » qui montre l'ambiguïté de la position personnelle de Césaire, indicateur d'une vérité qu'il adresse aussi à lui-même.
Le cri de révolte est autant un appel à l'engagement qu'une montée indivi-
duelle de la conscience :

> embrasse-moi jusqu'au nous furieux
> embrasse, embrasse NOUS
> mais nous ayant également mordus
> jusqu'au sang de notre sang mordus !
> (p. 64)

L'anathème* anti-colonialiste

Comme le dit lui-même Césaire dans un entretien accordé au *Nouvel
Observateur (op. cit.)* :

> Mon tempérament est plutôt explosif. Il fallait que les mots
> jaillissent. Senghor, lui, était très réfléchi, très maître de lui-
> même ; [...] C'est pourquoi, il y avait chez moi ce besoin de
> rugir, cette rage fondamentale, et que ma poésie est faite de
> révoltes, d'angoisses et d'appels à la reconquête.

Par ces propos, l'écrivain indique non seulement la nature volcanique
d'un tempérament, mais la nécessité d'un cri, son exigence de justice. Sans
adopter la méthode démonstrative d'un traité historique ni la veine pamphlétaire du *Discours,* le *Cahier* a pour premier objectif de secouer le joug
colonial, en ce qu'il est aliénation imaginaire, dans la représentation que le
Noir a de lui-même et de sa propre culture originelle, longtemps bafouée.
D'où ces apparitions dans le *Cahier*, au cœur de l'évocation de la
Martinique natale, de ces *instantanés*, qui ne sont pas sans rappeler les
éléments disparates de la poésie « cubiste » d'Apollinaire, écrits au discours
direct, analogues également au flux de la conscience inauguré par les ro-
manciers anglais et irlandais tels J. Joyce.

La malédiction lancée contre l'ignominie coloniale est parfois plus
indirecte au sens où elle n'est plus accusatoire, injurieuse, mais à visée ironique. Elle parle d'elle-même ! À cet égard, Césaire poursuit la tradition
ironique de la littérature française, celle d'un Montesquieu ou d'un Céline.

> Et ni l'instituteur dans sa classe, ni le prêtre au catéchisme ne
> pourront tirer un mot de ce négrillon somnolent [...] car c'est
> dans les *marais de la faim* que s'est enlisée sa voix d'*inanition*
> [...], (voyez-vous-*ce-petit-sauvage*-qui-ne-sait-pas-un-seul-des-
> dix-commandements-de-Dieu). (p.12)

Les deux instances de la troisième république civilisatrice, l'École et l'Église sont ici vilipendées au regard des effets de l'exploitation coloniale, la faim. Ce même terme fera l'objet d'une reprise poétique avec variations, tout au long des pages suivantes.

> (les nègres-sont-tous-les-mêmes, je vous-le-dis [...] rappelez-vous-le-vieux-dicton : battre-un-nègre, c'est *le nourrir*.) (p. 35)

Là encore, la parenthèse a valeur de citation, les tirets indiquent de manière dénonciatrice les discours insultants du Blanc, imbu de sa supériorité.

Ensuite, le cri de révolte s'insurge autant contre l'opprimé que l'oppresseur. « La ville inerte », expression reprise de manière lancinante au début du texte (p. 9-10) montre bien que l'indignation du poète s'adresse autant à la somnolence torpide des « peaux noirs, masques blancs » (*op. cit.*), véritables complices consentants du régime colonial, qu'aux Blancs « békés* ». L'imprécation* est douloureuse devant le spectacle de cette mort, cette paralysie (que suggère l'étymologie du terme « inerte »), ou cette maladie, qui se transformera peu à peu au cours du texte, en un réveil à la vie, à l'authenticité noire symbolisée par la « négritude debout ».

> Debout sous les étoiles
> debout
> et
> libre.
> (p. 62)

Ne cessent donc jamais de s'interpénétrer les différentes modulations du cri dénonciateur, de harangue, puis d'affirmation, selon les diverses prises de possession poétique de la parole.

Naturellement, le *Discours* a pour fonction première de démontrer la barbarie du colonialisme, et ses moyens rhétoriques peuvent être comparables, à la différence qu'ils sont beaucoup plus explicites et formulés en théorèmes historiques et politiques.

La transmutation poétique du cri : Césaire alchimiste

Très vite, le cri d'insulte et de dénonciation montre sa véritable valeur. Le *Cahier* devient une proclamation, un verbe poétique, une parole sacrée qui crée en nommant. En cela, Césaire reprend autant les sources universelles du « poein », de la création artisanale par le mot poétique, que la référence à la magie des chants africains. Au même titre que Claudel dans *Les cinq grandes odes* (1910), le poète crée le réel par son verbe poétique :

> Je retrouverais le secret des grandes communications et des grandes combustions. Je *dirais* orage. Je *dirais* fleuve. Je *dirais* tornade. Je *dirais* feuille. Je *dirais* arbre. [...] Qui ne me comprendrait pas ne comprendrait pas davantage le rugissement du tigre. (p. 21)

Le cri de Césaire est une interlocution qui s'élève au rang de la Nature, des éléments premiers, où le poète reprend à la fois la figure romantique du poète comme prophète, la conception rimbaldienne du travail sur le mot, semblable à l'alchimie, enfin la sacralisation de l'esthétique par les surréalistes, exprimée par Breton, comme une transmutation.

Enfin, le chant poétique se fait cathartique*, purification par la haine et la violence imprécatoire*, pour aboutir, dans les dernières pages du *Cahier,* à une acclamation, une assertion libre de délivrance : « j'accepte, j'accepte tout cela » (p. 56), « Je dis hurrah ! » (p. 59-60), « La vieille négritude se cadavérise » (p. 60). Le cri peut alors se faire l'appel du barde du lyrisme traditionnel : « écoute épervier qui tiens les clefs de l'orient » (p. 62), « Écoutez chien blanc du nord, serpent noir du midi » (p. 63).

Par conséquent, le cri de haine et de désespérance, de dénonciation politique se transmue en cri d'essence poétique, terme d'un parcours initiatique de découverte de soi.

Si l'on voulait lire, dans le *Discours,* un équivalent lointain – mais d'un tout autre ordre ! – de cette métamorphose du cri en fécondation d'un monde nouveau, ce serait l'appel à la Révolution, au nom de la justice pour les prolétaires de tous les pays.

L'AFFIRMATION DE LA NÉGRITUDE

Senghor lui-même l'a affirmé, Césaire est le premier inventeur du terme de « négritude », salué comme un père fondateur de la quête d'une dignité noire, mais aussi conspué, remis en question pour sa vision trop défensive, à rebours des stéréotypes coloniaux. Qu'en est-il dans les deux ouvrages ?

Une figure ironique et dérisoire : laideur du nègre

Il est certain que la négritude s'accompagne d'un étrange processus, qui consiste à reprendre en les assumant les poncifs concernant les Noirs, véhiculés par les Blancs colonialistes. C'est pourquoi la négritude est d'abord pour Césaire négative, cri de défi et de colère. « Être nègre aux États-Unis, c'est être en colère tous les matins » (Mingus), aimera-t-il citer dans l'entretien accordé à Francis Marmande, dans *Le Monde des Livres* du 11 mars 1994. Le « nègre » est d'abord ce terme péjoratif des Blancs, repris de façon provocatrice pour rendre intérieure une image aliénante*, imposée de l'extérieur. La figure du nègre est bien au fondement du *Cahier,* et ce, dès les premiers paragraphes : « L'Impératrice Joséphine des Français rêvant très haut au-dessus de la *négraille* » (p. 10), « ni le prêtre au caté-chisme ne pourront tirer un mot de ce *négrillon* somnolent » (p. 11). Les suffixes dévalorisants montrent un parti-pris d'outrance dans la dégrada-tion. Ils insistent sur l'injure faite à son peuple, mais aussi sur un souvenir littéraire, de l'auto-complaisance dans le ridicule, de la parodie de soi-même dans la souffrance. Se souviendra-t-on du ridicule de l'Albatros de Baudelaire :

> Ce voyageur ailé, comme il est gauche et veule !
> Lui, naguère si beau, qu'il est comique et laid !
> (*Les Fleurs du mal*),

du goût du parodique chez Lautréamont, ou bien avant encore de la sublime laideur de Quasimodo chez Victor Hugo ? La monstruosité dou-loureuse, la laideur deviennent héroïques, ce qui explique la valeur appa-remment oxymorique* de la formule si célèbre :

> Haïti où la négritude se mit debout pour la première fois [...] et
> la comique petite queue de la Floride où d'un nègre s'achève la
> strangulation. (p. 24)

Le grotesque du Noir humilié se fait sublime héroïsme en un seul et même mouvement, qui offre au lecteur à la fois compassion, admiration, et respect conjoints. Bien entendu, le morceau de bravoure tragi-comique où l'esthétique des contrastes est la mieux développée se trouve dans la des-cription du nègre du tramway. Les termes exprimant le ridicule semblent issus du poème de Baudelaire :

> Un nègre comique et laid et des femmes derrière moi ricanaient
> en le regardant.
> Il était COMIQUE ET LAID,

COMIQUE ET LAID pour sûr.
(p. 41)

Les indices de la dégradation s'accumulent pour rendre repoussant le personnage :

> [...] banc *crasseux* [...] péninsule *en dérade* [...] les coups de griffes sur le visage s'étaient cicatrisés en îlots *scabieux* [...] cartouches *hideux* [...] malveillant [...] inquiétant [...] caricatural [...] ; de façon *puante* [...] fard de poussière et de *chassie* mêlées. (p. 40)

Enfin la négativité de cette négritude dépossédée se manifeste par la syntaxe privative et le lexique négatifs. L'objet de cette privation est ce qui d'ordinaire constitue le stéréotype du Noir, ayant perdu toute essence : « sa négritude même qui *se décolorait* » *(ibid.).*

> C'était un nègre dégingandé *sans rythme ni mesure.*[...]
> Un nègre *sans* pudeur. *(Ibid.)*

Ce portrait offert à la moquerie des femmes dans le tramway est en réalité un cri d'orgueil lancé, comme le monte l'identification du poète à ce personnage emblématique :

> Je salue les trois siècles qui soutiennent mes droits civiques et mon sang minimisé.[...]
> Cette ville est à ma taille.
> Et mon âme est couchée. Comme cette ville dans la crasse et dans la boue couchée.
> Cette ville, ma face de boue.
> Je réclame pour ma face *la louange éclatante du crachat* ! [...]
> (p. 41)

La négritude est essentiellement, telle qu'on la voit ici, associée à la misère, à l'exploité, au prolétariat. Le même rapprochement sera opéré dans le *Discours sur le colonialisme* dans la péroraison* finale (p. 59) :

> C'est l'affaire de la *Révolution* ; celle qui à l'étroite tyrannie d'une bourgeoisie déshumanisée, substituera, en attendant la société sans classes, la prépondérance de la seule classe qui ait encore mission universelle, car dans sa chair elle souffre de tous les maux de l'histoire, de tous les maux universels : le prolétariat.

La négritude, refus de l'Occident

Mis à part son aspect polémique, le « nègre » pour Césaire est d'abord la définition d'un être qui s'oppose au Blanc, au colonial, à l'occidental. En effet, ce qu'il présente sous les termes du ridicule est l'inacceptable imitation par l'Antillais de la culture européenne, et de son corollaire littéraire, le « doudouisme » C'est pourquoi, un certain nombre d'oppositions apparaissent dont la toute dernière :

> Je te suis, imprimée en mon ancestrale cornée *blanche*.·
> monte lécheur de ciel
> et le grand trou *noir* où je voulais me noyer l'autre lune.
> (p. 65)

De même, au cours du premier sursaut de révolte du *Cahier*, Toussaint Louverture oppose le premier grand refus noir dont la répression est soulignée de manière lyrique par le lancinant retour de l'adjectif « blanc » (p. 25-26) :

> Une petite cellule, la neige la double de barreaux *blancs*
> la neige est un geôlier *blanc* qui monte la garde devant une prison
> Ce qui est à moi
> c'est un homme seul emprisonné de *blanc*
> c'est un homme seul qui défie les cris *blancs* de la mort *blanche*.

Cette négritude est toute faite de violence, de sang, de ce que Césaire nommera le « cannibalisme ». On lui reprochera plus tard, cette affirmation de soi trop caricaturale, oublieuse de la créolité ou tout simplement de l'universel. Mais il convient de lui restituer sa place historique et de la comprendre comme un moment nécessaire dans les étapes de la libération. Pour répondre à ses détracteurs, qui arguent qu'on « ne parle pas de la tigritude du tigre », Césaire a cru bon lui-même d'apporter cette précision :

> […] aucun mot ne m'irrite davantage que le mot négritude – je n'aime pas du tout ce mot-là, mais puisqu'on l'a employé et puisqu'on l'a tellement attaqué, je crois que ce serait manquer de courage que d'avoir l'air d'abandonner cette notion[1].

Mais les débats qui bouillonnent autour de cette notion prennent parfois l'allure d'un parricide inachevé et inavoué pour les générations suivantes. C'est bien la formule, encore baudelairienne avec le recours à l'allégorie qui montre à quel point la négritude est anti-colonialiste :

> mais est-ce qu'on tue le Remords, beau comme la face de stupeur d'une dame anglaise qui trouverait dans sa soupière un crâne de Hottentot ? (p. 20)

---

1 Discours prononcé en 1966 pour clore un colloque sur « l'art dans la vie du peuple africain », en réponse à André Malraux.

Si l'on comprend à quel point la négritude est, en un même geste, politique et poétique, toutes les objections s'effacent. L'identité personnelle de Césaire est découverte dans le même cheminement que celle de son peuple et la négritude est une des formulations de cette double affirmation :

> Comme il y a des hommes-hyènes et des hommes panthères, je
> serais un homme-juif
> un homme-cafre
> un homme hindou de Calcutta
> un homme-de-Harlem-qui-ne-vote-pas. *(Ibid.)*

L'accumulation de ces syntagmes* montre comment la vision imaginaire de l'homme libéré prend à la fois une forme mythique (l'homme-animal) et politique, par identification aux divers persécutés, souvent Noirs, mais pas nécessairement. De même que dans le *Discours sur le colonialisme,* le nazisme et le colonialisme sont associés, ici la persécution antisémite et le commerce triangulaire sont mis en parallèle. Il convient donc de rendre toute sa portée autobiographique à l'affirmation de la négritude comme retour aux sources africaines, d'un poète issu d'un peuple, à qui on a précisément ôté la mémoire.

La négritude, affirmation d'une identité : la source africaine

On le sait, Aimé Césaire n'avait jamais vu l'Afrique au moment où il écrivit le *Cahier*, l'essentiel de sa culture et de ses connaissances étaient européennes. Tout au plus, peut-on dire que l'Afrique lui était communiquée par l'amitié avec Senghor, dont Césaire aime à dire qu'il était contrairement à lui peu enclin à la colère « très réfléchi, très maître de lui-même. Au fond, Senghor est un patricien noir. » L'Afrique est donc une entité imaginaire, il faudrait dire fantasmée dont les modes d'existence sont livresques, humaines (le groupe d'étudiants Noirs africains), artistiques. L'Afrique est autant pour Césaire, le rythme de la musique jazz afro-américaine fort en vogue à l'époque, qu'une sensibilité qu'il veut épidermiquement différente de l'européenne.

Ce qu'ont en commun les deux textes est l'accusation que le colonialisme détruit les cultures d'origine.

> Le grand reproche que l'on est fondé à faire à l'Europe, c'est
> d'avoir brisé dans leur élan des civilisations qui n'avaient pas
> encore tenu leurs promesses[1].

Il n'est donc pas étonnant de voir au fil du *Cahier* se construire une image en creux du génie rationnel et technocratique de l'Européen, d'abord négative puis positive.

Césaire refuse d'abord l'image « exotique » de la Martinique paradisiaque, féconde de femmes-« doudous » :

> on voit encore des madras aux reins des femmes des anneaux à
> leurs oreilles des sourires à leurs bouches des enfants à leurs
> mamelles et j'en passe : ASSEZ DE CE SCANDALE ! (p. 32)

L'image du nègre-banania que récusait également Senghor, du Noir de music-hall est ici rejetée :

> Ou bien tout simplement comme on nous aime ! Obscènes
> gaiement tout doudous de jazz sur leur excès d'ennui.
> Je sais le tracking, le Lindy-hop et les claquettes. (p. 36)

De plus, le nègre se définit à rebours de l'esprit de progrès technologique de l'occidental. C'est le sens du célèbre passage de la page 44 :

> Ceux qui n'ont inventé ni la poudre ni la boussole
> ceux qui n'ont jamais su dompter la vapeur ni l'électricité [...]

Mais, on le souligne moins souvent, les ascendances héroïques des grands royaumes mythiques africains sont un horizon perdu, occulté, dont le poète ne peut se réclamer :

> Non, nous n'avons jamais été amazones du roi du Dahomey, ni
> princes du Ghana avec huit cents chameaux, ni docteurs à
> Tombouctou Askia le Grand étant roi, ni architectes de Djenné,
> ni Madhis, ni guerriers. (p. 38)

La litanie* du refus exerce sa métamorphose et son exorcisme*, la violence du cri de haine se fait positive pour aboutir à la fin du texte. Les origines occultées par la souffrance de l'esclavage reviennent en mémoire, véritable retour du refoulé*, par le travail de la parole :

> Je tiens maintenant le sens de l'ordalie* : mon pays est « la lance
> de nuit » de *mes ancêtres Bambaras*. (p. 58)

La montée à la conscience des entités totémiques* permet de se débarrasser définitivement de la relation de domination au maître :

---

1 *Présence Africaine, Numéro spécial*, juin-novembre 1956, p. 195.

> Les blancs disent que c'était un bon nègre, un vrai bon nègre, le
> bon nègre à son bon maître. (p. 59)

La négritude est par conséquent une africanité rêvée, reconquise, imaginaire : un mode de relation au monde qui fuit le rationnel, l'utilitaire, le règne des moyens et des fins. Cette dichotomie* entre les deux cultures est également présente dans la fin du *Discours*. Sartre l'a remarquablement définie dans sa préface à *L'Anthologie* de Senghor, « Orphée noir » :

> L'africain est agriculteur, l'occidental ingénieur. Le nègre dans
> sa subjectivité, est « poreux à tous les souffles du monde », il
> découvre l'objet, non pour le dominer, mais pour s'identifier à
> lui, communier à lui, le con-naître, faire l'amour avec lui.

En ce sens, toute l'émotivité contenue dans le *Cahier* mais aussi dans le *Discours,* le rythme lancinant du tam-tam, les métaphores végétales ou animales, la relation de l'humain au cosmos qui s'y manifeste sont une des nuances de la négritude de Césaire, qui, au fond n'est pas si différente de celle de Senghor.

Par conséquent, on ne saurait parler de « négritude » chez Césaire sans y voir de prime abord son aspect cathartique*, descente aux enfers dans l'auto-flagellation et le grotesque, puis sortie vers la lumière des origines assumées. Néanmoins, l'essentiel réside dans une poétique, affranchie des carcans habituels. De ce fait, la négritude a aussi bien séduit les surréalistes qu'elle a semblé transparente à ses lecteurs africains, qui n'y ont vu que clarté…

L'HOMME NOIR ET LA NATURE

Dès les premières lignes du *Cahier,* la relation du poète à la Nature apparaît dans son évidence. Son omniprésence était peut-être déjà suggérée par le terme de « pays » contenue dans le titre. L'éloignement de l'Europe, la redécouverte d'autres terres se fait d'abord de manière géographique, sous la forme du choc que constitue l'atmosphère tropicale. Mais l'originalité qui transparaît de prime abord est la confusion du registre de l'humain, de l'urbain, du spatial. La ville inerte, la foule, le vent tropical se mêlent en une même évocation, immédiatement intériorisée par la rêverie poétique. Nous sommes loin des clichés paradisiaques de l'exotisme que Césaire refuse ; il adopte un corps-à-corps avec la nature, symbolique du rapport de l'homme noir au monde ; enfin, le regard du poète donne sens à une quête orphique* de la réalité, signifiée sous la nature.

Un anti-exotisme

On le sait, Césaire ne revient pas au pays pour chanter un paradis naturel perdu. Ses écrits sont aussi un refus littéraire de l'académisme antillais du début du siècle, consistant à louer le sable blanc, les fleurs écarlates, les mers turquoises et la femme sensuelle, dont le modèle est peut-être Daniel Thaly, reprenant à son compte la mode exotique propagée par les romantiques jusqu'à la caricature. Non seulement la notion d'exotisme n'a pas de sens pour quelqu'un de familier à ce type de réalité, mais il suppose une vision aliénée, coloniale, superficielle, presque touristique. Le refus plein de colère est explicite dans les vers suivants :

> Et maintenant un dernier zut :
> au soleil (il ne suffit pas à soûler ma tête trop forte)
> à la nuit farineuse avec les pondaisons d'or des lucioles incertaines [...] je lis bien à mon pouls que *l'exotisme n'est pas provende pour moi.*
> (p. 34)

La présence de la Martinique comme lieu naturel est d'abord « sorcellerie évocatoire » de mots à valeur symbolique. Quelques noms propres, les changements du paysage en fonction des saisons, le Morne, le Volcan suffisent à tracer un ensemble significatif « [...] depuis Trinité jusqu'à Grand-Rivière, la grand'lèche hystérique de la mer » (p. 14). La personnification et le néologisme qui caractérisant la bordure marine intériorisent la vision de la Nature. La juxtaposition des mois, semblable aux pages d'un calendrier que l'on tourne est à l'opposé de l'exotisme :

> Passés août où les manguiers pavoisent de toutes leurs lunules, septembre l'accoucheur de cyclones, octobre le flambeur de cannes, novembre qui ronronne aux distilleries, c'était Noël qui commençait. (p. 14)

Ici, la connivence est de mise, référence au retour bien connu des événements météorologiques, encore à l'opposé de l'exotisme. Enfin, le mot « *morne* » se fait incantatoire* lorsqu'il est repris en tête de chaque paragraphe avec une variation adjectivale qui indique les altérations des humeurs humaines :

Le morne oublié [...] le morne au sabot inquiet et docile [...]
l'incendie contenu du morne [...] ; le morne accroupi [...] le
morne famélique [...] ce morne bâtard [...] gras téton des
mornes. (p. 10-14)

Le choix du terme « morne », mot créole pour désigner une colline indique la part de familiarité, de clin d'œil au lecteur averti de la particularité de la réalité chantée. De même, l'allusion au *volcan* joue de la même duplicité d'une référence familière et d'une signification symbolique, le caractère explosif de la révolte : « les volcans éclateront, l'eau nue emportera les tâches mûres du soleil» (p. 8).

Un organicisme* explosif

La représentation de la nature qui parcourt le *Cahier*, indique une intention du poète, au sens phénoménologique du terme. L'âme nègre se découvre dans ce parcours initiatique, à la fois retour aux origines maternelles et descente aux enfers, de l'autre côté de la mort. C'est pourquoi, il n'est pas étonnant de retrouver une métaphore organiciste*, celle *du corps*, dans l'évocation de la géographie des Antilles :

Ce qui est à moi, ces quelques milliers de mortiférés qui tournent en rond dans la calebasse d'une île et ce qui est à moi aussi, l'archipel arqué comme le désir inquiet de se nier, on dirait *une anxiété maternelle* pour protéger la ténuité plus délicate qui sépare l'une de l'autre Amérique. (p. 24)

La forme géométrique des îles est inséparable de l'image de maladie, de souffrance, de douleur : « mortiférés ».

Iles *cicatrices* des eaux
Iles évidentes de *blessures*
Iles miettes
Iles informes
Iles mauvais papier *déchiré* sur les eaux
Iles tronçons côte à côte fichés sur l'épée flambée du Soleil.
(p. 55)

Le point commun de ces prédicats*, juxtaposés de façon paratactique* est la déchirure et la souffrance, évoquant un organisme perclus de douleur, clivé.

Le deuxième moment poétique est celui de *l'amplification cosmique*, la phase d'affirmation et de reconquête de la négritude. La nature y apparaît alors comme étendue, infinie, libératrice. Elle est le double de l'irrésistible élan vital, présent en toutes choses, dans le cœur du poète et des esclaves révoltés. Le rythme poétique scande par la répétition et l'amplification métrique cet élargissement spatial :

> [...] les continents rompent la frêle attache des isthmes des terres sautent suivant la division fatale des fleuves et le morne qui depuis des siècles retient son cri au dedans de lui-même, c'est lui qui à son tour écartèle le silence. (p. 42)

Un mouvement tellurique*, tenant à la fois de *l'apocalypse et de la genèse* secoue le texte. Quel meilleur rythme enfin que le rythme ternaire, qui scelle intrinsèquement le sort d'un peuple et son sol ? : « Terres rouges, terres sanguines, terres consanguines » (p. 25).

Un orphisme* : communion de l'homme et de la Nature

Curieusement, il faut reconnaître deux courants de pensée, pourtant éloignés l'un de l'autre, dans cette confusion de l'homme et de la nature du *Cahier*. D'une part, l'héritage romantique qui perpétue la tradition orphique* à travers Novalis, Rimbaud, Nerval, Baudelaire, que Césaire connaissait et appréciait. D'autre part, l'idée transmise par l'ethnologue Léo Frobénius que la civilisation africaine est à l'écoute du cosmos, en harmonie fusionnelle et primitive avec elle. Le corps humain correspond au minéral, au végétal, à l'animal, et le microcosme au macrocosme. On retrouve l'idée chère aux illuministes* et aux alchimistes d'un sens caché de la matière. Dans *Négritude et humanisme,* Senghor souligne cette particularité de l'homme noir, semblable en cela au poète romantique, d'être une oreille attentive aux confuses paroles de la nature :

> Un homme sauve l'humanité, un homme la replace dans le concert universel, un homme marie une floraison humaine à l'universelle floraison ; cet homme, c'est le poète. [...] Comme l'arbre, comme l'animal, il s'est abandonné à la vie première, il a dit oui, il a consenti à cette vie immense qui le dépassait. Il s'est enraciné dans la terre, il a étendu les bras, il a joué avec le soleil, il est devenu arbre ; il a fleuri, il a chanté. (*Tropiques,* n° 12, janvier 1945)

La transformation de l'humain en végétal ou minéral est la plus accentuée dans les vers suivants :

> A force de regarder les arbres *je suis devenu un arbre* et mes longs pieds d'arbre ont creusé dans le sol de larges sacs à venin [...]

je suis devenu un Congo bruissant de forêts et de fleuves. (p. 28)

Enfin, l'appel des forces totémiques* s'apparente à l'écriture poétique symboliste ou cubiste d'un Apollinaire. Ainsi, « nous chantons les fleurs vénéneuses éclatant dans des prairies furibondes » (p. 31) évoque *les Colchiques* du recueil d'*Alcools*. Plus loin, « la dérive nostalgique de lunes rousses, de feux verts, de fièvres jaunes ! » rappelle quelque tableau cubiste ou fauviste.

La nature pour Césaire est donc elle aussi un objet à la fois poétique et politique, personnel et universel qui lui permet d'énoncer sa vision du monde et des hommes, à travers une forme complexe de significations.

LE STYLE ÉPICO-LYRIQUE

L'expression qui associe deux genres traditionnels de la poésie montre l'aspect primordial du poème, qui pourtant est écrit loin de toute référence de genre ou de style. Le mot « épique » fait référence à un récit fondateur de l'histoire d'une culture ou d'un peuple, destiné à être récité ou chanté, afin d'émouvoir un auditoire avec des procédés simples. Quant au lyrisme, il évoque plutôt l'expression personnelle des sentiments et l'usage de procédés musicaux en poésie comme par exemple, le recours au rythme plutôt qu'au mètre. En quoi le *Cahier* est-il le chant fondateur de la négritude en même temps que la renaissance d'un être qui se découvre à lui-même ?

Les procédés de l'exagération épique

L'aspect collectif du poème ne fait aucun doute, puisque le *Cahier* s'inaugure sur un vaste grand angle, qui va du paysage, aux éléments premiers, puis à la « foule inerte ». Le genre épidictique*, le style de la harangue aura pour but de réveiller ces masses endormies, et les procédés d'animation seront nombreux. Au plan stylistique, la marque du pluriel, constante dans le recueil est la première trace de l'exagération épique : « Les monstres […] les tourterelles […] les maisons insolentes » (p. 7). L'élargissement du champ visuel, les termes génériques donnent en outre une portée universelle à la description. Le réalisme excessif propre à l'épopée se retrouve également par la constance des métaphores du sang et de la maladie. Dans *La Chanson de Roland,* les cervelles bouillonnent et se répandent au sol. Ici, la réalité de l'esclavage équivaut à une lutte fondatrice qui opposerait deux peuples. Le colonisateur se substitue simplement au sarrasin de *La Chanson* ! Le souffle épique se retrouve dans le caractère oral, exclamatif du verset qui frise l'onomatopée : « Eia pour le Kaïlcédrat royal ! Eia pour ceux qui n'ont jamais rien inventé » (p. 47). La poésie a ici une fonction d'exhortation collective semblable à la harangue de troupes. Bien sûr, le caractère narratif de l'épopée fait défaut ici, puisque seulement deux passages empruntent cette forme, celui du souvenir de Noël (p 14-17) et l'anecdote du nègre dans le tramway (p. 40-41). De même, on pourrait arguer que le décasyllabe canonique* de l'épopée est bien loin du vers libre du *Cahier* ! Néanmoins l'émotion montante qui submerge le poème en un flux ascendant, le mode performatif* – consistant à confondre le dire et le faire, selon la formule de Austin – tout ceci aboutit à une réduction du message qui va dans le sens d'une émotion pure communiquée à la foule : l'affirmation d'une négritude triomphante.

Les métaphores exaltées

On l'a souvent noté, l'aspect oral de l'épopée lui donne souvent un caractère lyrique, dont la simplicité des thèmes va jusqu'aux limites de la caricature. Sans aller jusque là, le *Cahier* offre effectivement une palette appréciable de métaphores violentes, qui scandent la « parturition » d'un homme qui découvre progressivement son essentielle négritude en harmonie avec le monde : « lie ma noire vibration au *nombril* même du monde » (p. 65). Une logique particulière unit, du reste, trois séries d'images. D'abord, les métaphores de violence dont le *sang* est le symbole font l'objet d'une formule reprise en anaphore (reprise en début de vers) et de façon paratactique* :

> Sang ! Sang ! tout notre sang ému par le cœur mâle du soleil
> ceux qui savent la féminité de la lune au cœur d'huile. (p. 48)

Simplement, le sang n'est plus celui des esclaves torturés (« Que de sang dans ma mémoire ! » (p. 35)), mais le symbole d'une énergie retrouvée. L'exaltation s'accompagne de la récurrence des exclamatifs, dont la fréquence redouble à la fin.

La deuxième série de métaphores concerne la *naissance*, elle aussi conçue comme symbolique et retournée en son contraire. Au départ, le retour au pays est une plongée dans l'espace quasi-utérin du souvenir, puis l'effort de formulation, permet une seconde naissance, accomplie dans la douleur d'une purification par la violence, le sang, ce qui constitue le lien avec le premier groupe d'images :

> Je *force* la membrane vitelline qui me sépare de moi-même
> Je *force* les grandes eaux qui me ceinturent de sang [...]
> C'est moi oh, rien que moi qui m'assure au *chalumeau* les pre-
> mières gouttes de lait virginal.
> (p. 34)

Les images de viol et de fécondation parcourent le texte, qui cachent finalement l'allégorie de la négritude en un acte sexuel :

> et voici au bout de ce petit matin ma prière virile
> [...] et de moi-même, mon cœur, ne faites ni un père, ni un
> frère,
> ni un fils, mais le père, mais le frère, mais le fils,
> ni un mari, mais *l'amant* de cet unique peuple.
> « faites aussi de moi *un homme d'ensemencement* »
> (p. 49)

Ou encore, page 51 :

> la pirogue se cabre sous l'assaut de la lame, dévie un instant
> tente de fuir, mais la caresse rude de la pagaie la vire, alors elle
> fonce, un frémissement parcourt l'échine de la vague.

De cette union physique des éléments naîtra un nouveau monde.

Le lyrisme de la révolte

Le procédé commun de l'épico-lyrique est *l'hyperbole**, exagération qui figure l'inexprimable de l'émotion confinée aux plus hauts degrés: « L'eschare est extrême et la maladie au-delà des lèpres ». Les intensifs, les superlatifs, montrent à quel point la vision des Antilles est intense et personnelle. Le chant lyrique s'insurge contre la raison des Blancs, elle part du cœur et vise à l'ensorcellement du lecteur. Naturellement, le procédé stylistique le plus clair est celui de la répétition, sous toutes les formes qu'il serait vain de répertorier : anaphores ; accumulation des « et », de relances à l'initiale ; formules litaniques* ; énumérations. Il faut cependant en retenir l'originalité au-delà de la tradition. Le lyrisme se fonde sur le rythme et non sur le mètre, c'est-à-dire sur *l'alternance des temps forts et des temps faibles*, marqués selon une pulsation fondatrice de toute musicalité. Elle s'apparente au rythme biologique de la respiration, de l'effort, aux élans du cœur. Le récitant adopte les pouvoirs magiques du « chaman » pour envoûter son auditoire. Certains y ont vu les tam-tams de l'Afrique. D'autres, le souvenir des improvisations de jazz, d'autres encore les fondements d'une esthétique, dans les prolongements de Rimbaud et de la poésie orphique*. Assurément, cette poésie « virile » et « nègre » si personnelle sait prendre les accents hellènes de l'universel, pour reprendre à rebours la formule, parfois mal comprise et contestée de Senghor : « L'émotion est nègre comme la raison est hellène[1] ». On oublie parfois qu'Orphée fut d'abord... un Grec !

POÉTIQUE ET POLITIQUE : EN QUEL SENS PEUT-ON PARLER D'UNE LITTÉRATURE ENGAGÉE ?

Étudier la relation qui unit les deux textes du *Discours sur le colonialisme* et du *Cahier pour un retour au pays natal* revient à poser la question des rapports du politique et du poétique. Les deux écrits sont en relation à plus d'un titre. Presque contemporains – ils encadrent tous deux la seconde guerre mondiale et ont été réédités à la même date –, ils s'insurgent contre les mêmes injustices : le colonialisme et le racisme. L'un prend une allure plus désinvolte et personnelle, celle de fragments de journaux, elle adopte la posture de l'esthète face au réel ; l'autre est un discours politique, universel et didactique*, violente diatribe* contre la bonne conscience bourgeoise des vainqueurs de l'après-guerre. Cependant, si leurs destinataires s'opposent, leur signification globale ainsi que leur écriture se recoupent en plus d'un point. Le *Cahier* invective surtout l'antillais somnolent pour qu'il s'éveille avec le poète, quant au *Discours,* il s'adresse à la conscience occidentale, aveuglée dans ses certitudes. Or, curieusement, le texte politique se fait poétique par le ton, le style et les références, tandis que le texte esthétique appelle à l'action.

Une parole poétique engagée

Le texte premier est celui du *Cahier,* définitivement considéré comme le pilier fondamental de la négritude. Mais il serait erroné de ne voir en lui qu'une œuvre « à thèse », comme le suggérait Breton. Le message social,

---

1 *Poèmes*, Éditions Point Seuil, 1964.

politique, existentiel ne naît que du refus d'un esthétisme académique, de la négation de « l'Art pur », du symbolisme et de certains aspects du surréalisme. Mallarmé peut se lire dans le *Cahier*, mais à simple titre de réminiscence. *La parole poétique est engagée*, au premier abord de façon très restrictive, au sens où *elle implique la subjectivité* du poète, qui fait violemment corps avec son objet – le pays natal. Aucun esthétisme formel, le refus des grands genres, la mise à l'écart de l'exotisme participent à cette volonté de faire table rase. Quant à l'aspect éminemment personnel du *Discours*, il ne fait aucun doute et on imagine bien un Césaire prêchant seul dans le désert, choquant les consciences avec son parallèle entre le nazisme et le colonialisme.

L'engagement politique est donc intrinsèquement lié au travail poétique d'une écriture qui se fait, dans *la tradition pamphlétaire** et avec un *souffle épico-lyrique*. Le lien substantiel qui unit l'écriture propre à Césaire et la polémique* s'observe dans un même ensemble de procédés à l'œuvre dans les deux textes. Césaire l'annonce dès la cinquième section du *Discours* (p. 44 et suiv.), certains poètes ont dénoncé les scandales politiques mieux que les politiques : ce sont ses « phares », Baudelaire, Lautréamont, Balzac :

> […] « Tout en ce monde sue le crime : le journal, la muraille et le visage de l'homme. » C'est du Baudelaire, et Hitler n'était pas né ! […] (p. 44)

> La vérité est que Lautréamont n'a eu qu'à regarder, les yeux dans les yeux, l'homme de fer forgé par la société capitaliste, pour appréhender le *monstre*, le monstre quotidien, son héros. (p. 45)

Césaire préfigure la socio-critique* de quelque manière ! D'un autre côté, il vilipende quelques pages plus loin, l'identité idéologique d'un Caillois et d'un Chateaubriand, l'absence de relativisme culturel, la hiérarchie des valeurs ethnographiques. Il montre ainsi à quel point il est vain de séparer poétique et politique ! La commune écriture des deux textes le prouve. Ainsi, *l'identité des métaphores de maladie* est troublante dans les deux écrits :

> […] la violence, la haine raciale […] est une *gangrène* qui s'installe, *un foyer d'infection* […], il y a *le poison* lent mais sûr, de l'*ensauvagement* du continent. (p. 11)

Ceci fait écho au *Cahier* :

> [...] scrofuleux bubons, les poutures de microbes très étranges, les poisons sans alexitère connu, les sanies de plaies bien antiques, les fermentations imprévisibles d'espèces putrescibles. (p. 12)

D'autres métaphores, à valeur polémique* parcourent le *Discours* :

> [Le cerveau du bourgeois] ne laisse passer que ce qui peut alimenter la *couenne* de la bonne conscience bourgeoise. (p. 29)

Autant dire comme Jacques Brel que les « bourgeois sont comme des cochons ! »

Il faudrait également souligner *le style commun de l'invective*, l'insulte, l'ironie, la dénonciation, l'oralité du discours, l'énumération verbale :

> [...] macrotteurs politiciens lèche-chèques [...], académiciens goîtreux endollardés de sottise, [...] intellectuels jaspineux, sortis tout puants de la cuisse de Nietzsche. (p. 31)

L'ironie tord le coup aux arguments sordides des éducateurs blancs :

> En somme, un coup de chapeau à la force vitale bantoue, un clin d'œil à l'âme immortelle bantoue. Et vous êtes quitte ! Avouez que c'est à bon compte ! (p. 37)

L'énumération verbale de la page 26 reprend le rythme phrastique du *Cahier* :

> On l'ausculte, on la surprend, on la sent, on la suit, on la perd, on la retrouve, on la file et elle s'étale chaque jour plus nauséeuse.

Enfin, la résonance lexicale du terme de « retour » (p. 22) indique des obsessions constantes : « je cherche vainement [...] où l'on m'a vu prétendre qu'il pouvait y avoir retour. » Du retour spatial et biographique au retour de la civilisation vers l'état antérieur, il y a une communauté. Dans les deux cas, Césaire refuse l'idée d'une dégradation, d'une chute, d'une régression. Enfin, l'affirmation de la négritude emprunte des voies similaires dans les deux textes, et passe par la rageuse affirmation d'une différence : le progrès technique n'est pas le fait des Noirs.

> La race noire n'a encore donné, ne donnera jamais un Einstein, un Stravinsky, un Gerschwin. (p. 28 du *Discours)*
> Eia [...] pour ceux qui n'ont jamais rien exploré
> pour ceux qui n'ont jamais rien dompté. (p. 47 du *Cahier)*

Le refus du didactisme* partisan

Tout comme Césaire refuse l'Art pur, il ne s'enferme pas dans l'affirmation dogmatique de préceptes extérieurs. Certes, on retrouve les thèses de l'ethnologue Frobénius, les indignations de Damas dans le *Cahier,* mais l'écrit reste avant tout un long poème d'interpellation et sait rester indépendant. On retrouve paradoxalement, dans le *Discours* ces mêmes traits. Ainsi, quel étonnement de retrouver dans une harangue adressée à des hommes politiques accusés de meurtre... *l'apologie de la danse !* « Je parle de millions d'hommes arrachés à leurs dieux, à leur terre, à la vie, à la danse, à la sagesse » (p. 20). Dans le *Cahier,* la très chrétienne fête de Noël se transforme en apologie d'une danse quasi-cosmique :

> Et ce ne sont pas seulement les bouches qui chantent, mais les mains, mais les pieds, mais les fesses, mais les sexes, et la créature tout entière qui se liquéfie en sons, voix et rythme. (p. 16)

Le but du poète dépasse à chaque fois le simple réquisitoire contre l'esclavage dans le *Cahier,* contre le colonialisme dans le *Discours.* Une représentation personnelle du monde et de l'humanité y voit le jour et il s'agit de celle d'un poète. Ainsi, on peut rapprocher la critique de la Raison des deux textes :

> Face au] problème du prolétariat et (au) problème colonial, déférée à la barre de la « raison » comme à la barre de la « conscience », cette Europe-là est impuissante à se justifier. (p. 7 du *Discours)*

> Des mots ?
> Ah oui, des mots !
> Raison, je te sacre vent du soir. [...]
> beauté je t'appelle pétition de la pierre. (p. 27 du *Cahier)*

La réflexion est élargie dans les deux cas à la nature de toute connaissance, dont on comprend qu'elle soit dans le *Cahier* comme chez Claudel une nouvelle naissance au monde, une identification sensible à l'objet avec lequel on fait corps, une vision que Césaire veut *africaine* du monde. Dans le *Discours,* il dénonce la méconnaissance des cultures entre elles, causée par le démon de l'exploitation économique du XIXe.

> L'honnête contemporain de Saint Louis qui combattait mais respectait l'Islam, avait meilleure chance de le *connaître* que nos contemporains même frottés de littérature ethnographique qui le méprisent. (p. 52)

L'élargissement cosmique se manifeste dans l'avant-dernière conclusion du *Discours* :

> [...] jamais l'Occident [...] n'a été plus éloigné de pouvoir assumer les exigences d'un humanisme vrai, de pouvoir vivre l'humanisme vrai – l'humanisme à la mesure du monde. (p. 54)

C'est pourquoi, dans sa Préface à l'édition de 1947[1], Breton a défini le message de Césaire en terme de frémissement et non de simple didactisme : « La parole d'Aimé Césaire, belle comme l'oxygène naissant. »

Un art poétique original : l'exigence de l'action

Être poète = agir

Réciproquement, l'effet d'une pensée libérée des modèles, autrement que par fraternité de vue (avec le marxisme par exemple) rejaillit sur une pensée de la poésie-fécondité. On pourrait dire que Césaire reprend à son compte les contradictions de l'engagement poétique propres aux poètes de la Résistance, celle d'un Éluard ou d'un Aragon, ou davantage encore d'un René Char. Pendant les heures obscures, le verbe se fait plus clair chez Éluard puisque la pensée doit se communiquer directement, mais en même temps, la parole se fait de « laine » comme le dit René Char dans *Fureur et Mystère*[2], discrète, tapie, solide. Tout comme lui, Césaire fait de la poésie le seul moyen de résistance au réel, à la pesanteur des choses, à la bêtise, à la mort dans la vie. De même que la résistance se poursuit après la guerre, de même Césaire poursuit son combat de façon parallèle en guerre et en paix, par ses actes et ses écrits. On peut ainsi donner leur sens éthique aux métaphores de fécondité, autres que de simples fantasmes imaginaires. Elles donnent sens à la vie reconquise du poète, au même titre que l'appel à la révolution dans le *Discours,* et à l'élargissement des luttes coloniales à la défense universelle des prolétaires et des opprimés.

Ainsi, poétique et politique entretiennent des relations qui ne sont pas purement spéculaires* ; elles ne sont pas le simple reflet inversé et dépendant l'une de l'autre. L'action exige la parole dont la nature est poétique. La vision du poète est appel à l'action, la réflexion est ensemencement du monde. De plus, le poète ne saurait se concevoir comme un être isolé et ne

---

1 p. 87 de l'édition de 1983.
2 *Fureur et Mystère*, Gallimard, 1949.

se nourrit que de l'adresse à son interlocuteur, frère d'armes, dominateur à transformer, homme potentiellement poète. Finalement, s'il est réceptif, le lecteur du poème peut, lui aussi, en tant qu'esthète soucieux de l'urgence de l'action, percevoir le monde comme un « nègre ».

QUELQUES AUTRES PISTES D'ÉTUDE

Négritude et créolité

Poser cette question suppose la référence aux critiques antillaises faites à Césaire à qui l'on reproche de nier la spécificité antillaise d'une part, et de l'autre le danger d'une attitude trop exclusive au détriment de l'universel. La négritude peut se définir à partir de l'urgence de reconnaître le fait nègre dans sa singularité. La créolité est le prolongement de ce concept, dont l'auteur est Édouard Glissant, qui insiste sur « l'antillanité ». Un ouvrage, publié en 1989, *Éloge de la créolité*, de Jean Bernabé, Patrick Chamoiseau et Raphaël Confiant manifeste l'intention de rompre avec les aînés, rivés sur le duo Europe/Afrique. Ils la définissent comme une symbiose non encore figée d'éléments culturels caraïbes, européens, africains, asiatiques et levantins. Certains, comme le poète réunionnais Boris Gamaleya, rejettent la « créolie » qu'ils considèrent comme une « blanchitude coloniale ».

Plan d'étude possible :

1. La poésie créole et le rejet de la négritude, conflit de génération ?

2. La question de la langue, au cœur du débat

Césaire opte pour une esthétique originale, fondée sur une sensibilité du retour aux sources africaines (rythmes phrastiques, oralité, émotion particuliers). Les créolisants écrivent tantôt en créole, tantôt dans les deux langues à la fois.

3. La mixité culturelle

Élargissement du sens du mot « créole » redéfini à partir de la notion de symbiose. Mais alors, Senghor est comparable à Césaire lorsqu'il compose une syntaxe mixte, africaine et gréco-latine à la fois.

Une poésie tragique ?

Quelle relation entretiennent la poésie et le théâtre de Césaire, modes différents d'expression de sa pensée politique ? Peut-on parler d'une conception tragique de l'existence ?

1. L'auto-flagellation

La figure christique de l'esclave noir du *Cahier*, la misère passive de l'antillais d'aujourd'hui sont d'essence tragique. Le lien du grotesque et du dérisoire a une portée tragique.

2. La violence imprécatoire*

Le cri est à la mesure de la souffrance.

3. Une conception tragique de l'existence ?

(Annonce du théâtre ?) Interrogation sur le devenir historique des héros libérateurs. Sens du personnage de Toussaint Louverture.

Hermétisme ou didactisme* ?

La question pose celle des relations du poétique et du politique du point de vue de la langue.

1. L'objectif premier est didactique*

La prise de conscience de la négritude chez le lecteur.

2. Un hermétisme à fonction poétique :

Choix de termes rares, techniques, archaïques, de la réalité antillaise. Hermétisme dans la composition des métaphores (surréalistes ?). Renvois culturels parfois obscurs pour l'européen. Paradoxe : Césaire est toujours compris par les gens simples, aux Antilles et en Afrique.

3. Une esthétique originale

Il faudrait définir ce choix poétique, salué par Breton, que certains ont nommé surréalisme, d'autres alchimie verbale, d'autres encore syncrétisme culturel. À coup sûr, une voix très personnelle.

QUELQUES CLEFS POUR UN EXEMPLE DE LECTURE MÉTHODIQUE

Passage étudié (*Discours sur le colonialisme,* p 21-22)

> Cela dit, il paraît que dans certains milieux, l'on a feint de découvrir en moi un « ennemi de l'Europe » [...] l'odieux racisme sur la vieille inégalité.

Après avoir opposé dans un premier temps les notions de civilisation et de colonisation, Césaire dénonce les pratiques coloniales en établissant le fameux parallèle avec le nazisme. Puis il s'attaque à l'humanisme formel occidental en la personne de Renan et fait l'apologie des cultures dominées par l'Occident, parfois jusqu'à l'anéantissement, tout en préservant une réponse à des objections. Ici, il s'agit d'une idée essentielle au *Discours,* son indignation possède une portée universelle : elle est lutte contre tous les types d'oppression, d'autre part elle fait l'éloge de l'interaction culturelle.

Une rhétorique du discours indigné

Le caractère dialogué du raisonnement apparaît ici très nettement. La présentation en paragraphes courts souligne l'argumentation, qui procède par une sorte d'alternance entre des accusations et des réponses : « il paraît que [...] », « pour ma part, [...] la vérité est que [...] j'ai ajouté que [...] j'ai dit ». La rectification porte sur une accusation infondée : Césaire se défend d'être anti-européen, voire nostalgique du passé.

L'indignation se marque par les signes de la locution qui opposent deux personnes très distinctes. Un « on » indéterminé, extérieur et indéfini fait contraste avec la marque personnelle de la proximité, « je ».

Le style démonstratif utilise toutes les ressources syntaxiques pour une mise au point. La série de propositions complétives, énumérées de manière additive ou juxtaposée tend à imposer une lutte dont la victoire se fait par accumulation. Le rythme ternaire de la démonstration offre un équilibre sans faille, et le recours à des procédés oratoires latins, ceux d'un Cicéron[1] par exemple, montre formellement à quel point l'Europe n'est pas sous-estimée !

---

1 CICÉRON (106-43 av. J.-C.) : poète, homme politique et orateur latin.

[...] je cherche [...] où l'on m'a vu sous-estimer l'importance de
l'Europe [...] ; où l'on m'a entendu prêcher [...] ; où l'on m'a vu
prétendre [...]

Une dénégation : Césaire n'est pas le prophète d'un retour au primitivisme

Le terme de « retour » repris trois fois en deux phrases résonne étran-
gement avec le titre du *Cahier*, quoiqu'utilisé en un sens différent. Dans
l'acception politique, il désigne la nostalgie d'un ordre ancien des choses,
des sociétés, des civilisations pré-techniques, tandis que dans le sens poétique, il a une dimension autobiographique, spatiale et de réflexivité sur
soi-même. Après avoir chanté la fraternité des sociétés anté-capitalistes et
anti-capitalistes, pour les distinguer des injustices modernes des sociétés
développées, on aurait pu s'attendre à une dévalorisation du contemporain
au profit de l'ancien.

Or, Césaire veut corriger cette dichotomie* entre deux types de civilisations, l'une rationnelle et technique, du progrès, et l'autre magique, artisanale, traditionnellement communautaire. Cette opposition est formulée en
termes de séparation temporelle entre l'ancien et le nouveau :

> [...] drame historique [...] trop tardive [...] de l'histoire [...]
> prolongé la survie des passés locaux.

Le texte opère un subtil renversement du raisonnement, puisque l'on
part de l'idée du retard de l'Afrique que les colons voulaient combler :
« mise en contact trop tardive » pour arriver au fait que les européens ont
sciemment joué des archaïsmes locaux, à savoir du féodalisme à leur profit : « artificiellement prolonger la survie des passés locaux. »

Il prouve par ce retour du raisonnement sur lui-même que la véritable
lutte se fait entre dominants et dominés, et non entre deux types de culture.

Portée universelle du texte : nécessité de la lutte contre toutes les injustices

L'idée essentielle est celle du *Discours* dans son ensemble. Il ne faut
pas renvoyer dos à dos l'Europe et l'Afrique, mais dénoncer le capitalisme
et son cortège d'injustices, dont le colonialisme n'est qu'un sinistre
exemple. L'art oratoire, les effets stylistiques de reprises et de contraste

font de ce passage un grand exemple de plaidoirie, à la façon d'un Cicéron ou d'un Bossuet[1]. La portée universelle se manifeste d'abord par son registre lexical : « histoire de la pensée humaine », « drame historique », « la communauté humaine », « plus haut tas de cadavres de l'histoire ». Le concept-clef du *Discours* est celui d'*humanisme*, dont on retrouve les termes ici. La seconde préoccupation est celle de la domination : « financiers», « capitaines d'industrie », « féodaux indigènes », « tyrannie ».

La conclusion logique de cette mise au point synthétise les deux fils conducteurs. L'ancien et le nouveau ne présentent aucune différence: « antique injustice », « vieille inégalité », le racisme n'est qu'une des formes des haines de l'histoire. La métaphore quasi végétale (« enté ») montre le caractère vivant de cette excroissance causée par l'Europe, ajout artificiel aux inégalités déjà acquises, comme le greffon d'un arbre.

Césaire a donc non seulement voulu répondre à ses détracteurs, mais éviter une pensée schématique qui diaboliserait l'Occident. La cause du mal est la domination capitaliste répandue sous toutes ses formes. L'analyse est bien de nature politique avec toutes les armes de la parole persuasive. Enfin, de façon sous-jacente, le texte, comme l'ensemble du *Discours*, est entièrement orienté vers l'avenir, c'est-à-dire vers l'espoir de justice.

---

1 BOSSUET (1627-1704) : évêque, poète et orateur.

ANNEXES

ÉLÉMENTS D'INTERTEXTUALITÉ

Les écrits de Césaire récusent « la vieillerie poétique » et sont en révolte contre les canons* littéraires. Ils n'en demeurent pas moins élaborés en résonance avec un ensemble de textes tapis dans la conscience littéraire du poète. Bien sûr, on s'est parfois amusé à repérer les origines de la littérature anti-coloniale. Les imprécations de Céline dans *Le voyage au bout de la nuit* (1932), son anti-exotisme et la vision d'un corps malade, métaphore de la décomposition sociale sont en relation avec ce voyage au cœur de la misère. Les romans de Paul Morand qui dépeignent des fictions racistes (*Magie noire*, 1928), ou les personnages des *Déracinés* de Barrès (1897) annoncent le thème du retour au pays natal. Sans compter qu'on a parfois vu la source du mot « cahier » dans *Les cahiers de la quinzaine*. Néanmoins, la véritable intertextualité n'est pas une série de références ponctuelles, mais une nourriture spirituelle dont on détecte les traces par « la petite musique » dont parlait Proust autant que par la filiation esthétique. Il convient de distinguer les influences conscientes, Rimbaud, Baudelaire, Lautréamont, les exemples refusés comme Saint-John Perse et les affinités inconscientes avec la Bible ou le surréalisme.

Rimbaud

Des réminiscences du *Bateau ivre* viennent essentiellement des images, des références aux couleurs, aux sensations, le plus souvent au pluriel. « La dérive nostalgique de lunes rousses, de feux verts, de fièvres jaunes ! » (p. 33) est un écho des « rousseurs amères de l'amour ». L'énumération des « Je dirais » (p. 21), évoque autant les romantiques que Claudel ou Rimbaud. En particulier, l'aspiration au départ de la page 22, exprimée dans la litanie* des « partir », est en harmonie avec le vagabondage rimbaldien, attitude de rupture avec le monde et la société occidentale.

Mieux encore, la déclaration de Rimbaud (*Une saison en enfer*, 1873), « je suis une bête, un nègre » (p. 39), montre l'usage symbolique de la négritude, exploitation, marginalité, refus des valeurs communes. « Je quitte l'Europe[1] » est tout à la fois l'expression du refus de la famille, de la ville natale, du conservatisme, des valeurs bourgeoises pour Rimbaud, et Césaire s'en souviendra au sens existentiel et politique. Enfin, le ton blasphématoire, la violence qui tourne à l'auto-ironie, à la dévalorisation de soi-même sont communs aux deux poètes. L'esthétique de l'ivresse, par laquelle la frontière entre le réel et l'imaginaire est indifférenciée, apparaît : « je préfère avouer que j'ai généreusement déliré, mon cœur dans ma cervelle ainsi qu'un genou ivre » (p. 42). Ivresse du *Bateau ivre,* posture de folie provocatrice face au monde, dérèglement de tous les sens, voyance poétique…

Baudelaire

La référence aux *Fleurs du Mal* n'est plus à prouver. En particulier, la vision descriptive de la ville, l'itinéraire géographique devenu itinéraire spirituel et métaphorique, la longue descente vers la misère humaine, tout ceci mériterait une analyse détaillée impossible ici :

> Tourte ô tourte
> où l'air se rouille en grandes plaques
> d'allégresse mauvaise
> où l'eau sanieuse balafre les grandes joues solaires
> je vous hais.
> (p. 32 du *Cahier*)

La figure grotesque du nègre du tramway est assurément la preuve d'une perception commune de la misère. Tout comme Baudelaire (« L'Albatros », *Les Fleurs du Mal)*, Césaire offre l'image de son double dégradé, frère et autre à la fois, jeté à la face des lecteurs comme objet de ridicule et de pitié. Mais tandis que l'un y voit la condition de tous les hommes, l'autre en fait le symbole de l'injustice coloniale.

De plus, la dénonciation du scandale à l'aide de la métaphore de la maladie diffère, et on ne trouve point chez Césaire de double postulation, au Spleen et à l'Idéal. Au contraire, l'itinéraire du *Cahier* se fait dans le sens d'une résolution, d'une assomption*, d'un apaisement.

---

1 *Une saison en enfer, op. cit.*

Tout se passe comme si la postulation vers l'Idéal de Baudelaire devenait chez Césaire une élévation irrésistible vers l'Azur, où certains verront des réminiscences de Mallarmé :

> monte, Colombe
> monte
> monte
> monte
> Je te suis, imprimée en mon ancestrale cornée blanche.
> (p. 65 du *Cahier*)

La différence toutefois avec Baudelaire consiste en une association de l'éther et de la nuit, « la langue maléfique de la nuit » (*ibid.*), indice d'une négritude assumée, en cette danse poétique finale. Par ailleurs, le mouvement vers l'Idéal n'est pas une coupure loin hors du monde, mais une communion retrouvée avec l'être du monde : « lie ma noire vibration au nombril même du monde ». Il faudrait reprendre, à propos de Césaire, le titre d'un *Petit poème en prose*, avec une variation : « Anywhere but *in* the world ».

Lautréamont

De toutes les influences, c'est sans nul doute celle des *Chants de Maldoror* la plus perceptible immédiatement, puisqu'elle va jusqu'au pastiche, genre lui-même cher à Lautréamont. L'apostrophe au lecteur, la violence imprécatoire*, les invocations lyriques, le recours outré aux formes de la rhétorique pour la démystifier sont autant de procédés communs aux deux hommes. Césaire reprend en pastiche les « beau comme » du *Chant sixième :* « Beau comme la rétractilité des serres des oiseaux rapaces [...] et surtout comme la rencontre fortuite sur une table de dissection d'une machine à coudre et d'un parapluie » deviendra chez Césaire :

> Mais est-ce qu'on tue le remords, beau comme la face de stupeur d'une dame anglaise qui trouverait dans sa soupière un crâne de Hottentot ? (p. 20)

La figure de la contradiction, inhérente à ce type de dénonciation ironique, se retrouve sous la forme du choc, de l'esthétique de la juxtaposition et des contrastes marquants du *Cahier :*

> Des mots ? quand nous manions des quartiers de monde, quand nous épousons des continents en délire, [...], ah oui, des mots ! mais des mots de sang frais, des mots qui sont des raz-de-marée

et des érépisèles et des paludismes et des laves et des feux de
brousse, et des flambées de chair, et des flambées de villes […].
(p. 33)

On pourrait encore énumérer la volonté de dégradation, l'ironique
figure rageuse, presque humoristique de la dévalorisation de soi qui font de
Césaire un frère spirituel de Lautréamont. Comme pour ce dernier, souil-
lure et nostalgie de la pureté se rejoignent et le portrait humilié du « nègre
dans le tramway » cache l'orgueilleuse posture de la négritude exhibée.

La Bible

Cette référence pourrait sembler surprenante après l'insistance sur la
provocation violente des poètes précédents. Malgré tout, il est vrai que
Césaire traversait une crise spirituelle au moment de la rédaction du
Cahier, qu'il était nourri de la lecture des *Prophètes,* et que l'imprécation*
fait partie d'un mode d'écriture testamentaire. Les anathèmes* proférés,
dans le *Livre d'Ézéchiel* contre Jérusalem vouée à la turpitude et au blas-
phème préludent à l'anathème* lancé contre la « ville inerte » Fort-de-
France, livrée à la somnolence et l'acceptation de la misère. L'itinéraire
spirituel du *Cahier* semble suivre le cheminement de la Révélation, à la différence près que point de transcendance ne s'y manifeste. Par ailleurs, les
différentes visions au caractère cosmique évoquent comme dans le *Livre
d'Ézéchiel* une ascension spirituelle symbolisée par la colombe. Dans le
Déluge, la colombe, porteur d'un rameau d'olivier annonce un Monde
Nouveau, elle se retrouve dans la conclusion du *Cahier :*

monte, colombe […]
Je te suis, imprimée en mon ancestrale cornée blanche.
monte lécheur de ciel.
(p. 65)

De même, la condition misérable du Noir n'est pas sans évoquer le
dénuement total de Job.

Sur le plan stylistique, la formulation lyrique de la litanie* épouse les
méandres et l'amplification rythmique de la prière :

Faites de moi un homme de terminaison
faites de moi un homme d'initiation
faites de moi un homme de recueillement
faites aussi de moi un homme d'ensemencement.
(p. 49)

La répétition d'« Ainsi soit-il. Ainsi soit-il. C'était écrit » nous place dans la formulation rituelle de la prière. Bien entendu, cela ne remet nullement en cause la protestation du poète qui a « assassiné Dieu de ma paresse de mes paroles de mes gestes de mes chansons obscènes » (p. 29) ni la portée temporelle d'une indignation politique. Toujours est-il qu'elle prend les accents sacrés d'une posture exaltée.

Le surréalisme

Il serait vain de retracer en quelques lignes la complexité des relations de Césaire au surréalisme. Il s'agit plutôt d'une convergence de points de vue esthétiques d'une part, et d'une prise de position face à l'existence. Comme eux, Césaire a connu les contradictions de l'engagement politique et du postulat d'indépendance intellectuelle. Le premier à reconnaître Césaire fut Breton en 1941, qui rédigea la fameuse Préface. Mais il exprime par là autant une admiration qu'une fraternité artistique mêlée d'une surprise. La modernité de Césaire, dans le *Cahier* ne fait aucun doute. Son imprégnation d'Apollinaire se trahit dans la technique d'un style paratactique*, de juxtaposition, d'incohérence apparente des images où l'on a voulu autant voir la prédilection pour le visuel des cubistes que l'imaginaire africain, qui refuse le liant de la raison au profit d'une juxtaposition plus « primitive ». Certes, également, l'image des fleurs vénéneuses est sortie directement d'*Alcools* ainsi que l'association du lyrisme traditionnel et de la modernité. À plus d'un titre, il est comme lui un précurseur de génie. Mais ce qui étonnait Breton était la présence d'un « sujet » poétique, l'apologie de la négritude, preuve d'une certaine dose d'engagement, péché capital des surréalistes. N'a-t-il pas d'une certaine façon salué le succès d'une réconciliation de la thèse et du souffle poétique ? L'élément le plus proche des surréalistes est la conception du poétique qui transparaît derrière le *Cahier*, celui d'un poète « chaman », opérant la transmutation magique des mots, la transfiguration de la réalité par le pouvoir de profération de la parole, source de « co-naissance[1] » du monde. Mais peut-être reprend-il aussi la grande tradition romantique, présente chez Hugo ou Novalis[2], du Verbe créateur…

---

1 Pour reprendre l'expression de Paul CLAUDEL dans *Les cinq grandes odes* (1910).

2 NOVALIS (1772-1801) : poète romantique allemand, connu pour son mysticisme.

PETITE ANTHOLOGIE

Une blessure sacrée : la négritude.

Aimé Césaire, *Moi, laminaire...* (Éditions du Seuil, 1982)

Pour se reconnaître, se proclamer, voire se revendiquer nègre, il faut avoir accompli le vaste parcours, fantasmatique et historique, de la grande geste des Noirs : l'Afrique-Mère, la traite, l'esclavage, la colonisation... Blessure de la mémoire, cicatrisée peut-être, mais à jamais douloureuse.

Calendrier lagunaire

j'habite une blessure sacrée
j'habite des ancêtres imaginaires
j'habite un vouloir obscur
j'habite un long silence
j'habite une soif irrémédiable
j'habite du basalte non une coulée
mais de la lave le mascaret
qui remonte la valleuse à toute allure

Aimé Césaire, *Moi, laminaire...* (Éditions du Seuil, 1982)

« Ils sont les Conquérants de la nuit nue »

Louis Delgrès, commandant en chef de la force armée de la Basse-Terre, lutta jusqu'à la mort contre les troupes très supérieures en nombre et en armement, envoyées en 1802 par Bonaparte, après la prise du pouvoir par les Noirs en Guadeloupe et en Haïti.

Ô dans les siècles de ces siècles, plus éternels que la parole des pythies,
Ainsi les ai-je vus, nombreux parmi les pousses et les ronces.
L'histoire les oublie, car ils sont morts de ce côté du monde où le soleil décline.
Je les appelle sur la plage, auprès de ceux partis, mais qui demeurent cependant...
Ils sont les Conquérants de la nuit nue. Ouvrez les portes et sonnez pour les héros sombres. La mer
Les accueille parmi ses fils, le soleil se lève sur le souffle de leur âme.
Ils s'appellent, fameux, et oubliés, qui résistèrent au nocher des caravelles.

Leur cortège pénètre, ils ont brandi les torches de bambous, et voici le premier,
Delgrès qui tint trois ans la Guadeloupe.

Édouard Glissant, *Les Indes* (Chant cinquième, Falaize, 1956)

Debout (fragment)

Boris Gamaleya a joué un grand rôle dans la mise en valeur de la tradition orale réunionnaise. Il jongle ici avec brio sur « la double scène des langues » :

nous nous identifions jusqu'à nous répéter
comme en un grain de temps les letchis du langage
au grand rassemblement des ressemblances
pai pai le roi martin l'horizon s'illumine
quelqu'un retarde l'allumage
ohé d'en haut prince de l'esclave ! morale !
n'abîme pas les racines mises à nu
jako dansé
l'aimée réglait sa vie selon l'ordre du ciel
la flamme lui parlait une langue secrète
le chant du coq éveillait une norme
mais pouvait-on prévoir
ce fut pire qu'un viol par la parole dure
quelqu'un lui dit venez ma mie
et déjà j'entendais le noir batteur de cartes
à la mer vos faces de lunes mortes
vos cervelles de poule dans le blanc des salines
zinzin la mer
la brise me l'a dit
une odeur de margose
a liané jusqu'en l'air
et zinzin la rivière
le magma me l'a dit`
la terre tinte à peine
oiseau vert de cristal

Boris Gamaleya, *Le Fanjan des pensées*
(in « Poètes de la Réunion », *Action poétique*, n° 107-108, 1987)

« On dit que le nègre a sept peaux »

On dit que le nègre a sept peaux. Une soi-disant pour la grosse transpiration, la deuxième pour les coupures des cannes, la troisième pour la gratelle de taro, l'autre pour les morsures des fourmis, une autre encore pour le travail dans le cœur brûlant du soleil de midi, la sixième pour la chair de poule sur les hauteurs de la plaine, la dernière pour le nerf de bœuf de Mme Desbassyns, caché par des gros blancs, des fois que « le bon vieux temps » reviendrait.

Chaque peau, sa douleur, son martyre… Si c'était vrai, les sept peaux, pourquoi pas la première pour se chauffer au soleil assis sur la roche piquée, la deuxième pour la brise de mer à l'ombre des filaos, la troisième pour la caresse des grandes fougères dans la forêt de Belouve, l'autre pour la rosée à l'éveil de la caille, une autre encore pour frôler le poisson-perroquet sur la lame, au brisant, la sixième pour l'eau fraîche de la cascade du bassin bleu, la dernière pour la peau d'une amoureuse de n'importe quelle couleur ?

Chaque peau, son plaisir, sa joie dans la vie…

Axel Gauvin, *Romances*
(*in* « Poètes de la réunion », *Action poétique*, n° 107-108, 1987)

Afrique j'ai gardé ta mémoire Afrique…

[…] Mineurs des Asturies, mineur nègre de Johannesbourg, métallo de Krupp, dur paysan de Castille, vigneron de Sicile, paria des Indes
(je franchis ton seuil – réprouvé
je prends ta main dans ma main – intouchable)
garde rouge de la Chine soviétique, ouvrier allemand
de la prison de Moabit, indio des Amériques,
Nous rebâtirons […]
peuple innombrable des galères capitalistes […]
Si le torrent est frontière,
nous arracherons au ravin sa chevelure
intarissable
Si la sierra est frontière
nous briserons la mâchoire des volcans,
affirmant les cordillières,
et la plaine sera l'esplanade d'aurore
où rassembler nos forces écartelées
par la ruse de nos maîtres.

Jacques Roumain, *Bois d'ébène* (Éditeurs Français réunis, 1945)

BIBLIOGRAPHIE

À propos d'Aimé Césaire

Biographie

KESTELOOT L., *Aimé Césaire*, Seghers, 1962.

STEINS M., *Nabi nègre, Césaire 70*, Silex, 1984, Éditions Ngal et Steins.

Sur le *Cahier*

Recueil de conférences : *Aimé Césaire ou l'Athanor d'un alchimiste*, Actes du 1er Colloque international sur l'œuvre littéraire d'Aimé CÉSAIRE, Éditions caribéennes, ACCT.

COMBE D., *Aimé Césaire, Cahier d'un retour au pays natal*, coll. « études littéraires », PUF, 1993.

CONDÉ M., *Cahier d'un retour au pays natal*, Hatier, coll. « profil d'une œuvre », 1978.

KESTELOOT L., *Comprendre le « Cahier d'un retour au pays natal »*, Dakar, Éditions Saint-Paul, « Les Classiques africains », 1982.

À propos de la Négritude

ADOTEVI, *Négritude et Négrologues*, collection « 10/18 », 1972.

DAMAS L.G., *Pigments*, Présence africaine, 1972.

FANON F., *Peau noire, masques blancs*, Seuil, 1952.

LEIRIS M., *Cinq études d'ethnologie*, Gallimard, 1969.

MARAN R., *Batouala*, (1938), Rééd. Karthala, 1965.

MELONE T., *De la négritude dans la littérature négro-africaine*, Présence Africaine, 1962.

MÉNIL R., *Tracées. Identité, négritude, esthétique aux Antilles*, Laffont, 1981.

SARTRE J.-P., « Orphée noir », préface à *l'Anthologie de la Nouvelle Poésie Nègre et Malgache* de Senghor, PUF, 1948.

SENGHOR L.S., *Poèmes*, Seuil, 1964.

Littérature « créole »

Poésie

ALBANY, *Indiennes*, 1981, chez l'auteur , *Miel vert*, 1963, chez l'auteur , *Zamal*, 1951, chez l'auteur.

DAMAS, *Black Label*, Gallimard, 1956 ; *Graffiti*, 1952 ; *Névralgies*, Présence africaine, 1966.

GAMALEYA, *Vali pour une reine morte*, Saint-Denis, REI, 1973.

Romans

CHAMOISEAU, *Antan d'enfance*, Hatier, 1990 ; *Chronique des sept misères*, Gallimard, 1986 ; *Solibo Magnifique*, Gallimard, 1988 ; *Texaco*, Gallimard, 1992.

CONDÉ, *Hérémakhonon*, UGE, coll. « 10/18 », 1976 ; *Moi, Tituba, sorcière noire de Salem*, Seghers, 1986 ; *Ségou*, Laffont, 1984-85 ; *Une saison à Rihata*, Laffont, 1981

CONFIANT, *Le Nègre et l'Amiral*, Grasset, 1988.

GAUVAIN, *Faim d'enfance*, Le Seuil, 1987.

GLISSANT, *Mahagony*, Le Seuil, 1987.

SCHWARTZ-BART, *Pluie et vent sur Télumée Miracle*, Le Seuil, 1972 ; *Ti-Jean l'horizon*, Le Seuil, 1979.

ZOBEL, *La rue cases-nègres*, Éditions Froissart, 1950, Rééd. Présence africaine, 1983.

LEXIQUES

Principaux termes obscurs du *Cahier d'un retour au pays natal*

Ahans : (p. 11) onomatopée exprimant un effort pénible.

Alexitère : terme de médecine. Se dit d'un médicament qui prévient l'effet des poisons et des venins.

Amure : (p. 51) cordage qui retient le point inférieur d'une voile du côté d'où vient le vent.

Andains : (p. 24) rangée de foin ou de céréales fauchées et déposées sur le sol.

Bauge : (p. 45) gîte fangeux du sanglier.

Bénin : (p. 12) plante.

Bubons : (p. 12) terme ancien synonyme d'adénite, ou inflammation.

Calcanéum : (p. 25) os du tarse qui forme la saillie du talon.

Chalasie : (p. 43) petite tumeur inflammatoire du bord de la paupière.

Chassie : (p. 41) liquide visqueux qui découle des yeux.

Chloasmes : (p. 52) ensemble de taches brunes sur la peau du visage, d'origine hormonale et qui constituent « le masque de grossesse ».

Cippe : (p. 53) petite stèle funéraire ou votive.

Concussions : (p. 12) malversation commise dans l'exercice d'une fonction publique, surtout financière.

Corossolier : (p. 43) arbre qui produit le corossol, fruit tropical.

Cynocéphale : (p. 45) singe d'Afrique dont la tête est allongée comme celle d'un chien.

Daturas : (p. 30) genre de plante de la famille des solanacées dont toutes les espèces sont toxiques.

Éléphantiasis : (p. 19) maladie parasitaire tropicale qui rend la peau rugueuse comme celle de l'éléphant, et qui fait gonfler les membres.

Empan : (p. 23) distance comprise entre l'extrémité du pouce et celle du petit doigt (22-24 cm). Ici, qualifié de « **fuligineux** » (couvert de suie), désigne la petitesse des mesures humaines.

En dérade : (p. 40) de dérader, quitter une rade, en parlant d'un navire qui, sous l'effet de la tempête, ne peut plus tenir à l'ancre.

Gibbosité : (p. 46) bosse.

Hypoglosse : (p. 11) nerf qui part du bulbe rachidien et innerve les muscles de la langue. Ici : le suicidé a avalé sa langue sans que le nerf réagisse. Il faut comprendre le sens figuré : la complicité passive du colonisé avec l'oppresseur, dans le mutisme.

Hysope : (p. 52) arbrisseau des régions méditerranéennes et asiatiques dont l'infusion des fleurs est stimulante.

Inane : (p. 44) vain.

Jujubier : (p. 19) arbre méridionnal cultivé pour ses fruits.

Kaïlcédrat : (p. 46) arbre-fétiche, symbole de l'Afrique ancestrale.

Lambi : (p. 51) gros coquillage que l'on trouve aux Antilles et dont la conque est utilisée comme une conque marine par les pêcheurs.

Lunules : (p. 12) forme géométrique formée de deux arcs de cercle ayant mêmes extrémités et dont la convexité est tournée du même côté.

Madrépore : (p. 44) élément constructeur jouant un rôle déterminant dans la formation des récifs coralliens.

Molette : (p. 37) partie mobile de l'éperon, en forme de roue étoilée.

Noctiluque : (p. 23) protozoaire parfois très abondant dans la mer, qu'il rend lumineuse la nuit.

Ordalie : (p. 58) épreuve judiciaire en usage au Moyen-Âge sous le nom de jugement de Dieu.

Pian : (p. 53) maladie tropicale infectieuse et contagieuse produite par un tréponème et provoquant des lésions cutanées.

Pongo : (p. 40) de la famille des pongidés, singe anthropoïde tel que le chimpanzé, l'orang-outang et le gorille.

Pouture : (p. 12) engraissement des bestiaux à l'étable par des farineux. Ici, prolifération.

Proditoires : (p. 46) obtenues par trahison.

Provende : (p. 34) mélange de grain et de fourrage hachés pour bestiaux.

Sapotille : (p. 16) fruit antillais de couleur brune.

Scabieux : (p. 40) qui ressemble à de la gale.

Scrofuleux : (p. 12) plein d'écrouelles (abcès tuberculeux).

Sisal : (p. 21) agave du Mexique dont les feuilles ont des fibres qu'on utilise pour faire des cordes.

Soma : (p. 56) ensemble des cellules non-reproductrices des êtres vivants.

Syzygie : (p. 56) conjonction ou opposition de la lune avec le soleil.

Tabides : (p. 44) de tabès, syphilis nerveuse qui atteint la mœlle épinière et caractérisée par une incoordination motrice.

Vitelline : (p. 34) en rapport avec les substances de réserve contenues dans l'ovule des animaux.

Noms propres du *Discours sur le colonialisme*

Dans ce pamphlet, Césaire adresse ses attaques à plusieurs types d'adversaires, tous responsables à leur façon du désastre colonial. D'une part, il accuse les théoriciens du racisme, d'autre part les appétits de pouvoir et de richesse des conquérants. Mais ceux qu'il vilipende le plus sont les représentants de la république bourgeoise moderne, bienpensante et humaniste. Il récuse le faux universel, imbu de supériorité, au nom d'un véritable universel, celui de la révolution, et du métissage des cultures, dans le dialogue et la diversité.

ADENAUER Konrad : (p. 13) 1876-1967, chancelier allemand démocrate chrétien, artisan de la réconciliation franco-allemande.

ARNAUD (St)', HERSON Comte d', MONTAGNAC Colonel de : aristocrates qui ont conquis l'Algérie dans le sang, et qui justifient cette violence.

BALZAC Honoré de, BAUDELAIRE Charles, LAUTRÉAMONT Isidore Ducasse Comte de : (p. 44) Césaire mentionne ces écrivains du XIXe qu'il admirait, afin de montrer leur lucidité de poètes face à la déchéance et la monstruosité humaines.

BARDE R.P. et MULLER : (p. 15) missionnaires français qui justifient la conquête coloniale par la nécessité du prosélytisme. Les desseins de Dieu (la mise en valeur des richesses) se réalisent mieux grâce aux conquérants.

BIDAULT Georges : (p. 13) 1899-1983, ancien président après Jean Moulin du Conseil national de la Résistance, fonde le M.R.P. Président en 1946 du gouvernement provisoire, sera promoteur de l'union européenne et… un violent partisan de l'Algérie française, contre de Gaulle en 1954.

BLOY Léon : (p. 24) 1846-1917, écrivain français catholique réactionnaire qui s'insurgea contre le « décadentisme » de son siècle, contre le matérialisme, la démocratie et le positivisme.

BUGEAU Thomas : (p. 16) 1784-1849, maréchal de France rallié aux Bourbons. Puis, gouverneur général de l'Algérie où il organisa systématiquement sa conquête.

CAILLOIS Roger : (p. 47) 1913-1978, essayiste français, fondateur de l'Institut français de Buenos Aires, et du

collège de sociologie avec Bataille et Leiris. Est ici violemment pris à partie pour ses attaques contre les nouvelles tendances de l'ethnologie, et sa défense de la civilisation occidentale.

CORTEZ Hernan : (p. 9) 1485-1547, conquistador espagnol qui partit à la découverte de Cuba et du Mexique et anéantit des villes aztèques.

D'ELBÉE Maurice Gigost : (p. 30) 1752-1794, général vendéen, contre-révolutionnaire qui émigra puis fut arrêté et fusillé en 1793.

ELIADE Mircea : (p. 48) 1907-1986 Historien des religions et romancier roumain, émigré en France, puis aux États-Unis. A le mérite, pour Césaire, de comprendre les dialogues entre les cultures.

FLORENNE Yves : (p. 39) journaliste au *Monde* qui représente la bonne conscience des intellectuels racistes, selon Césaire.

FROBENIUS Léo : (p. 30) 1887-1938, ethnologue et philosophe allemand qui fut le premier à utiliser la notion d'aire culturelle. Consacre de nombreux ouvrages à l'Afrique, où il fit ses voyages d'étude. Condamne l'idée d'une supériorité occidentale et salué par Aimé Césaire.

GOBINEAU Joseph Arthur comte de : (p. 51) 1816-1882, diplomate et écrivain français qui prétend fonder sur une base physique la théorie de la supériorité de la race nordique, germanique. Sa doctrine fut reprise par les pangermanistes et les nazis.

GOUROU Pierre : (p. 32) géographe français du XXe siècle spécialisé dans les pays d'Extrême Orient.

JUNGER Ernst : (p. 44) écrivain allemand, engagé dans la légion étrangère, qui vécut en Afrique. A servi les débuts du nazisme par son apologie de la révolution nationale et son apologie de la guerre.

KIPLING Rudyard : (p. 39) 1865-1936, romancier et poète anglais. A passé son enfance en Inde et a beaucoup voyagé. S'est fait une haute idée de l'aventure impériale et de l'exaltation de la noblesse morale. Ici, Césaire montre ses préjugés racistes à l'encontre des malgaches.

LAPOUGE Georges Vacher de : (p. 27) 1854-1936, sociologue français qui soutient les thèses racistes de la supériorité physique, intellectuelle et morale des Nordiques.

LEIRIS Michel : (note p. 48-49) 1901-1990, ethnologue et écrivain français, ami de Césaire. A participé au mouvement surréaliste de 1924 à 1929 et a été membre de la mission Dakar-Djibouti qui traversa l'Afrique de 1931 à 1933. Représente pour Césaire l'ethnographie progressiste.

LÉVI-BRUHL Lucien : (p. 49) 1857-1939, sociologue français qui a analysé la vie des peuples dits « primitifs », et qui, concluant à un relativisme, montre la présence de la pensée mystique chez tout être humain.

LÉVI-STRAUSS CLAUDE : (note p. 48-49) 1908-..., ethnologue français et philosophe, qui a eu une influence considérable sur le renouvellement méthodologique des sciences humaines. Césaire salue en sa pensée, la reconnaissance de la diversité des cultures et le refus de toute hiérarchie entre elles, ainsi que le refus de l'européo-centrisme.

LOTI Pierre : (p. 17) 1850- 1923, écrivain français et officier de marine pendant 42 ans, décrit dans ses romans l'atmosphère exotique de ses escales. Aucune lucidité politique malgré une grande sensibilité aux moeurs locales, justifie le colonialisme.

MAISTRE Joseph de : (p. 26) 1753-1821, homme politique et écrivain contre-révolutionnaire. Émigre en Sardaigne puis en Russie où il est ministre de Charles-Emmanuel IV. Attaché à la monarchie et au pape, il oppose la foi et l'intuition à la Raison qu'il juge le mal du siècle. A la même conception de l'histoire que Bossuet.

MASSIS Henri : (p. 47) 1886-1970, écrivain français militant dans les rangs de l'Action française. Connu pour sa *Défense de l'Occident*.

NIETZSCHE Friedrich : (p. 31) 1844-1900, philosophe allemand. Dans l'expression « sortis tout puants de la cuisse de Nietzsche », Césaire signifie que ces intellectuels ont une idée presque nazie du surhomme - selon leur lecture de Nietzsche - et qu'ils tiennent en mépris les peuples colonisés.

PIGAFETTA Antonio : (p. 30) 1491-1534, Navigateur italien qui participa à l'expédition de Magellan et fit le compte rendu journalier des moeurs océaniennes.

PIZARRE Francisco : (p. 9) 1475-1541, conquistador espagnol qui soumit le Pérou et l'empire des Incas.

POLO Marco : (p. 9) 1254-1324, voyageur italien, auteur du *Livre des merveilles du monde*, qui voyagea en Orient, jusqu'en Chine et en Mongolie.

PSICHARI Ernest : (p. 27) 1883-1914, officier et écrivain français, petit-fils de Renan. Servit au Congo dans l'artillerie, converti au catholicisme, est tué pendant la première guerre mondiale. A écrit *Le voyage du centurion*, récit de son évolution spirituelle.

QUINET Edgar : (p. 56)180-1875, Historien français adversaire du cléricalisme. Élu député en 1848, il se prononça pour la séparation de l'Église et de l'État.

RAMADIER Paul : (p. 25) 1888-1961, député socialiste en 1928 puis ministre, devient président du conseil en 1947, adhère au plan Marshall et fit voter le statut de l'Algérie. Représente bien la politique coloniale de la IVe République avec ses contradictions.

RENAN Ernest : (p. 13) 1823-1892, écrivain qui symbolise pour Césaire l'humaniste occidental, qui partit aux sources de la pensée judéo-chrétienne. Rationaliste, admirateur de la Grèce antique.

ROMAINS Jules : (p. 28) 1885-1972, écrivain français dont l'oeuvre est abondante, partisan de l'unanimisme, à la curiosité universelle. Reflète une conception humaniste et libérale du monde. Symbole de la bonne conscience universalisante occidentale pour Césaire.

ROSENBERG Alfred : (p. 14) 1893-1946, théoricien du nazisme qui développe le mythe du racisme. Condamné à Nüremberg.

SARRAUT Albert : (p. 15) enseignant de l'école coloniale dont les thèses représentent la pensée coloniale officielle en cours.

SCHUMAN Robert : (p. 13) 1886-1963, président du conseil en France en 1947-48, ancien député démocrate-populaire et déporté, il est avec MONNET l'un des constructeurs de l'Europe.

TRUMAN Harry : (p. 58) 1884-1973, président des États-Unis de 1945 à 1952. Est à l'origine de la fin de la guerre, du plan Marshall, de l'O.T.A.N. Devant faire face aux débuts de la guerre froide contre l'URSS, décide d'envahir la Corée. Annonce pour Césaire, le nouveau rôle impérial des américains.

WILSON Thomas Woodrow : (p. 57) 1856-1924, président des États-Unis de 1913 à 1921. Il fut à l'origine de la S.D.N. lors de la conférence de paix de 1919.

Glossaire

Les termes définis dans ce glossaire sont signalés par un astérisque (*) dans le texte.

aliénante : qui soumet à des contraintes, qui rend esclave, autre que soi-même.

anathème : condamnation publique, malédiction, excommunication.

assomption : sens fig., élévation, dépassement d'une contradiction, sublimation (de l'Assomption, sens propre, fête catholique qui commémore l'ascension de la Vierge au ciel).

béké : créole martiniquais ou guadeloupéen, descendant d'immigrés blancs.

blasphématoire : sacrilège, impie.

cannibalisme : au sens propre, pour un homme ou un animal, habitude de manger ses semblables. Au sens figuré, la violence de la révolte de Césaire, qui consiste à s'approprier les pratiques africaines.

canonique : conforme à un canon, une norme, un système, traditionnel.

cathartique : qui purifie par l'expression des sentiments.

diatribe : critique amère et violente, exercice d'école en Grèce.

dichotomie : division nette entre deux éléments, opposition tranchée.

didactique (discours) : style qui a pour objet d'instruire ou de proposer une doctrine.

entités totémiques : essences ou êtres se référant à un totem (animal considéré comme un ancêtre mythique). Ici, la découverte des origines africaines.

épidictique : discours qui distribue l'éloge ou le blâme.

exorcisme : cérémonie au cours de laquelle on chasse des démons. Ici, le cri de révolte chasse la souffrance d'années d'esclavage.

gérontocratie : pouvoir des plus anciens.

hyperbole : procédé stylistique consistant à exagérer pour produire une impression.

illuminisme : doctrine de certains mouvements religieux, philosophiques ou littéraires qui croient en une révélation directe inspirée par Dieu ou la nature.

imprécations : malédictions proférées contre quelqu'un.

incantatoires : qui a l'effet d'une formule magique chantée ou récitée.

litanies : série de prières, formées de courtes invocations. Longue et ennuyeuse énumération.

ordalie : épreuve judiciaire en usage au Moyen-Âge ou jugement de Dieu.

organicisme : doctrine qui présuppose une analogie entre le corps et la nature, ou entre le corps et la société.

orphisme (quête orphique) : courant religieux de la Grèce antique relié à Orphée, le prince des poètes. L'initiation et la purification permettaient de se libérer du crime originel commis par les Titans. Au XXe siècle, nom donné par Apollinaire en 1912, à une tendance du cubisme, représentée par Delaunay, qui exalte la couleur et la lumière.

oxymorique : qui met en relation des éléments opposés.

pamphlet : écrit satirique et violent inspiré par l'actualité.

paratactique : qui utilise la parataxe, c'est-à-dire la juxtaposition simple, sans liaison.

performatif : terme de linguistique. Se dit d'un verbe dont l'énonciation constitue l'action qu'il exprime (ex : promettre).

péroraison : partie finale d'un discours argumenté, conclusion.

polémiste / polémique : caractère d'une discussion violente. Qui se bat par le discours.

prédicat : attrbut d'un mot ou d'une proposition, ce qu'on dit à propos de quelque chose.

retour du refoulé : terme du vocabulaire de la psychanalyse, qui désigne la réapparition à la mémoire, grâce à la parole, des affects repoussés dans l'inconscient.

scansion rythmique : fait de marquer la quantité ou la mesure des vers, les temps faibles et les temps forts qui produisent un rythme poétique ou musical.

socio-critique : tendance de la critique littéraire mettant en relation les œuvres et les événements socio-historiques.

spéculaires : qui se regardent ou se reflètent comme dans un miroir.

syntagme : unité élémentaire de la phrase, par ex. groupe nominal.

tellurique : qui concerne la terre.

INDEX

a
anaphore 38; 39
argumentation 47

c
colonialisme 8; 17; 20; 26; 31; 40; 41; 43; 48
communiste 8; 11; 12; 17; 22
cosmos 33; 36
créole 4; 35; 45
cri 15; 18; 19; 23; 24; 25; 26; 27; 28; 29; 32; 46
cubistes 8

d
didactique 23
doudouisme 30

e
émotion 24; 38; 39; 40; 45
engagement 11; 17; 25; 41; 44; 54
énumération 39; 42; 50
épique 37; 38
exotique 32
exotisme 8; 33; 50

h
hermétisme 46
hyperbole 39

i
insulte 23; 26; 42
intertextualité 50
ironie 42; 51

l
lyrisme 21; 27; 37; 39; 54

m
métaphore 20; 33; 35; 37; 38; 41; 42; 44; 46; 49; 50; 51
mètre 37; 39
mixité 45
mulâtre 4; 5

n
négritude 7; 8; 16; 26; 28; 30; 45

o
oralité 23; 42; 45
organicisme 35
orphisme 36

p
pamphlet 17; 22; 60
parodie 28
personnification 34

r
racisme 8
récit 37
révolte 4; 6; 7; 8; 10; 16; 18; 19; 25; 26; 30; 35; 39; 50
romantique 8; 10; 27; 34; 36; 50; 54
rythme 31; 33; 36; 37; 39; 42; 45; 47

s
style 19; 23; 37; 40; 42; 47; 54
subjectif 7
surréaliste 8

t
tragique 46

v
vers 34; 36; 38
violence 12; 20; 27; 30; 32; 38; 39; 46; 51; 52

SOMMAIRE

L'ŒUVRE ET L'HISTOIRE 3
    Les luttes pour l'émancipation aux Antilles............................... 3
    L'œuvre et l'histoire des idées, des arts, des mouvements 6
    Qui est Césaire ? 9
    Récapitulation des œuvres d'Aimé Césaire 13
GENÈSE DE L'ŒUVRE 15
    Cahier d'un retour au pays natal 15
    Discours sur le colonialisme 16
    Vision panoramique du *Cahier d'un retour au pays natal* 18
    Structure du *Discours sur le colonialisme* 20
    Impact des deux œuvres 21
POUR COMPRENDRE AIMÉ CÉSAIRE 23
    La poésie du cri 23
    L'affirmation de la négritude 27
    L'homme noir et la nature 33
    Le style épico-lyrique 37
    Poétique et politique 40
    Quelques autres pistes d'étude 45
    Quelques clefs pour un exemple de lecture méthodique 47
ANNEXES 50
    Éléments d'intertextualité 50
    Petite anthologie 55
BIBLIOGRAPHIE 58
LEXIQUES 59
    Principaux termes obscurs du *Cahier* 59
    Noms propres du *Discours sur le colonialisme* 60
    Glossaire 62
INDEX 63

IMPRESSION - FINITION
Aubin Imprimeur, 86240 Ligugé. — D.L. août 1994. — Impr. L 46172